金田一少年之事件簿
16
原作／金成陽三郎
漫画／さとうふみや

CONTENTS

檔案 12

金田一少年之事件簿
說起來，這條道路的確是太漫長了——
爲了這一天，我絞盡腦汁……
如今已萬事俱全！
ザッ
……
以這座不祥的城堡爲舞台——
裁決那些不可原諒的背叛者們的日子——
ぐっ
終於來到了……！

檔案12
蠟人形城殺人事件①

留…
留級～～～？

ぴろ～ん
解答用紙
10
金田一一
這是你的分數！
這樣子讓你升級的話，說不太過去吧！金田一！
那……就……請老師……
多多幫忙……♡
混帳！高中可不是義務教育！
……
你就是這副德性，才會老是倒數！
聽好！4天後的定期考如果沒有90分以上的話，連續假期就來補考！
ピッ
要是再不及格的話，你就準備留級吧！
不……
ガーン
不要～～～!!

ワイ
ワイ
!?唷！金田一！
ガラ…
咳～
聽說你差不多要留級了！
真可憐～
碰
ガバッ
啊…
你怎麼會知道？
我恰巧經過辦公室門口，
所以聽到你的聲音！
ファサ
這麼悲哀的事實，還是早一點告訴全班同學比較好，不是嗎？
びょ～～ん
朝……朝基～～～!!
你…！
但是…留級又還沒確定…
不不…對成績幾乎頂尖的我來說，你—
絶—
ばさ…
ビッ!!
對！
留級定了！
ははははは
別用這麼奇怪的動作來特別強調！

可惡──！朝基這傢伙！只不過成績好一點而已～！
4天後的考試！我一定要拿90分！等著瞧！
爲了爺爺的名聲！
きりり
好！首先要讓這4天過得有意義，
從進度表做起吧！
定期考超越90分
短期特訓進度表
好！完成了！
考試範圍有60頁……
時間還很充裕嘛！
嗯…已經這麼晚了！
算了！今天到此爲止，上床囉！
第一天就熬夜的話，恐怕會撐不住…
考試前3天
啊！對了，
今天是連續劇的最後一集！
有事沒解決的話會無法專心，先看再說！
嗶
看完後集中精神K書才有效率。

ザー
くかー
之後，考試前2天
只剩2天了，連1頁也沒看…
沒救了…
フラ…
這2天我是在搞什麼啊？
ジー
怎麼了？學長！
滿臉鬱卒哦〜♡
……你怎麼會在這裡？佐木2號…
這傢伙
其實是在那邊遇見不尋常的人，說是要見學長…
是誰啊？
女的嗎？
嗨…
すっ

久違了，金田一！
你想見我？怎麼回事？
啊……明智警視！
唔…你先看看這東西。
日本阿爾卑斯山
中世紀德意志
巴爾多城
懸疑之夜
4天3夜
ール企画
03(3212)XXΔΔ
巴爾多城懸疑之夜？
在日本的長野有個仿造德國古城的建築，
在那裡要舉行一個世界性的推理活動，正在募集參加者。

我認為這是一個與你「比高下」的好機會…
比高下？
怎麼回事？
きょとん。
我幫你提出申請了，裡面有我的推薦信，
等、等等！
通過審查的話，2、3天內會寄請柬來。
活動日期是這次的連續假日—我正期待著！
喂～
等等啊～～
ブロロロロロ…
搞什麼飛機，也不問我的意願，就擅自決定…
哈～～真有意思！夢幻名偵探再度對決！
好像漫畫♡

笨蛋！我正在留級的邊緣，搞不好連續假期還得來補考。
哪能搞這種無聊的事！
你就這樣又認輸了嗎？學長♡
你說什麼？我哪時候輸給那傢伙了…
忘了嗎？那次你因殺人嫌疑而被追捕的事—
學長爲了要取得作證物的錄影帶，用了各種手腕—
結果，明智先生將計就計，你不是被追得走頭無路嗎？
那…那是因爲…
明智那傢伙使用發信機的骯髒手段！
但是…沒有看穿那個骯髒手段，
就是阿一「輸」了啊！
對吧？佐木！
是是—
美…美雪…妳怎麼這麼說…

我……知道了！去就去嘛！什麼推理遊戲嘛！
我才不會輸！這次一定要讓明智那像伙落荒而逃！
可是，這次考試沒拿90分的話，連假不是要來補考的嗎？
我要是認真起來的話，那算什麼嘛！
管他是朝基、還是明智，待我一併解決！
……
眞順利！
ニッ。
是啊！
他太單純了！
不過……那個高傲的明智警視，
竟會「拜託我們」做這種事，可眞意外啊……
是啊！叫我們用激將法激阿一參加推理活動……
有什麼原因呢？
因爲這樣，這次的考試有拚的精神了！
我才不想留級呢！

到了定期考當天——
金田一！
金田一不在嗎？
真是的…連考試都遲到！
ガラ
對不起！
抱歉！來遲了！
ギョッ
哈！老師，開始考吧——!!
ニコ ニコ
…
頭巾
背面寫滿了數學公式
眼鏡
稜鏡鏡片
面朝前方卻能看到桌下的課本
領帶
背面寫滿了答案
鞋子
鞋跟有如筆記本，一翻就有答案。
12

想不出更好的作弊手法嗎？
不愧是老師！行不通嗎……
考試中的作弊行爲，由成績幾乎頂尖的我……
這傢伙——！
從後面來監視你！
不要做無謂的掙扎！
唔……
一如往常，採取電腦閱卷方式！
試卷上別忘了寫名字、科目、學號……
唉唷……
快一點啦！考試的一分一秒都關係著輸贏耶！
是、是……
哼！光盯著我看！
盯著看

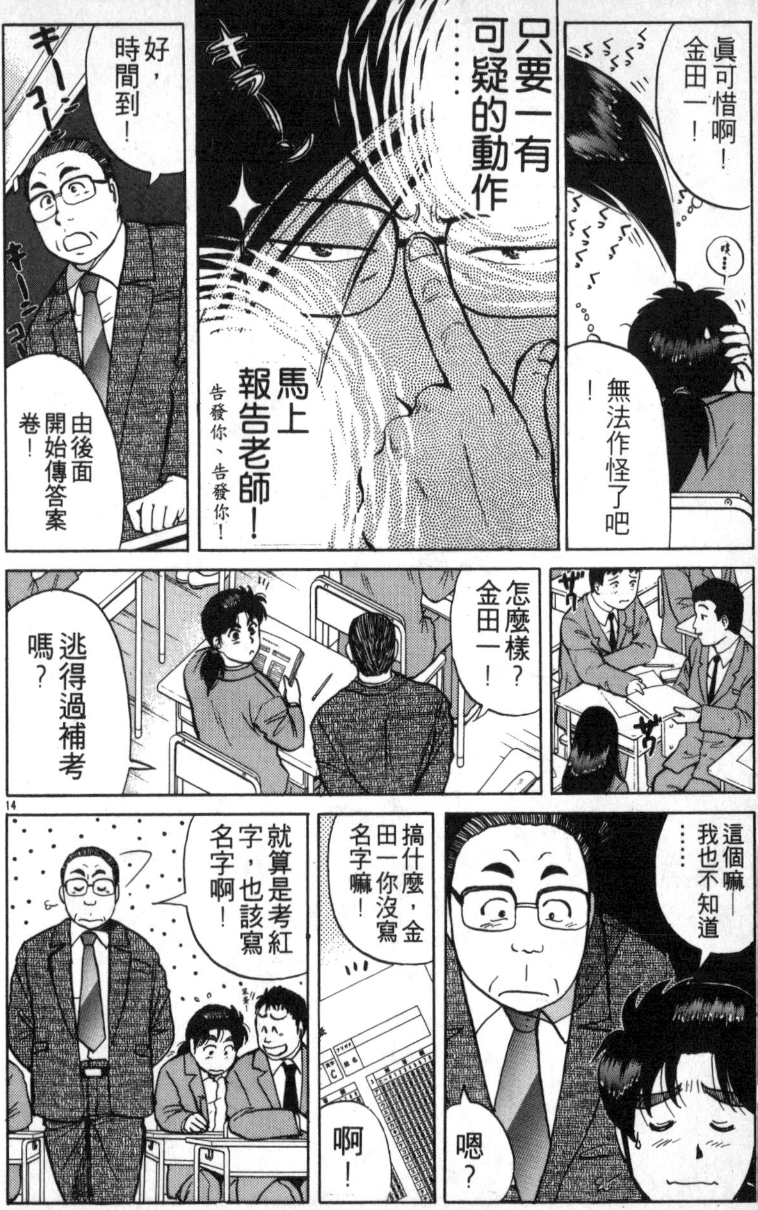
眞可惜啊！金田一！
噗……
無法作怪了吧！
只要一有可疑的動作……
馬上報告老師！
告發你、告發你！
好，時間到！
由後面開始傳答案卷！
怎麼樣？金田一！
逃得過補考嗎？
這個嘛——我也不知道……
嗯？
搞什麼，金田一你沒寫名字嘛！
啊！
就算是考紅字，也該寫名字啊！

數日後——
開始發定期考的考試卷。
阿貓42分、
阿狗20分、
阿牛35分、
阿一……你可真輕鬆啊……大家都考不好……
是嗎——？
不是嗎？再這樣的話……
金田一！
有！
……
98分！
ええ——!!
咦——！

什……什麼～～～！
ガーン
竟有這種事
金田一跟我同分──？
沒錯！金田一和朝基同分，名列全學年之冠！
騙人──!!
眞的嗎──!?
阿一，你好厲害！
沒有啦…我一認眞就會這樣啦！
作……作弊？
ガーン ガーン
不…不不可能吧…！
ガーン
照約定考90分以上就不用補考，是不是啊？老師！
是…是…
キーンコーン カーンコーン
幹得好！
眞行哪，金田一！

喂！金田一！
啊！朝基同學！♡
你…你是怎麼考出這麼高分的呢？
沒有啦~♡全托您的福！
以後你可不能再嘲笑我了吧——
!?什……什麼意思？
那麼我先告辭了！
再見啦！朝基♡
喂！等一下！
哈—真痛快！朝基那傢伙活該！
喂喂，金田一！
托朝基的福是什麼意思啊？你果然……
呵呵呵！
只偷偷告訴你們——！
使我考高分的秘密武器！

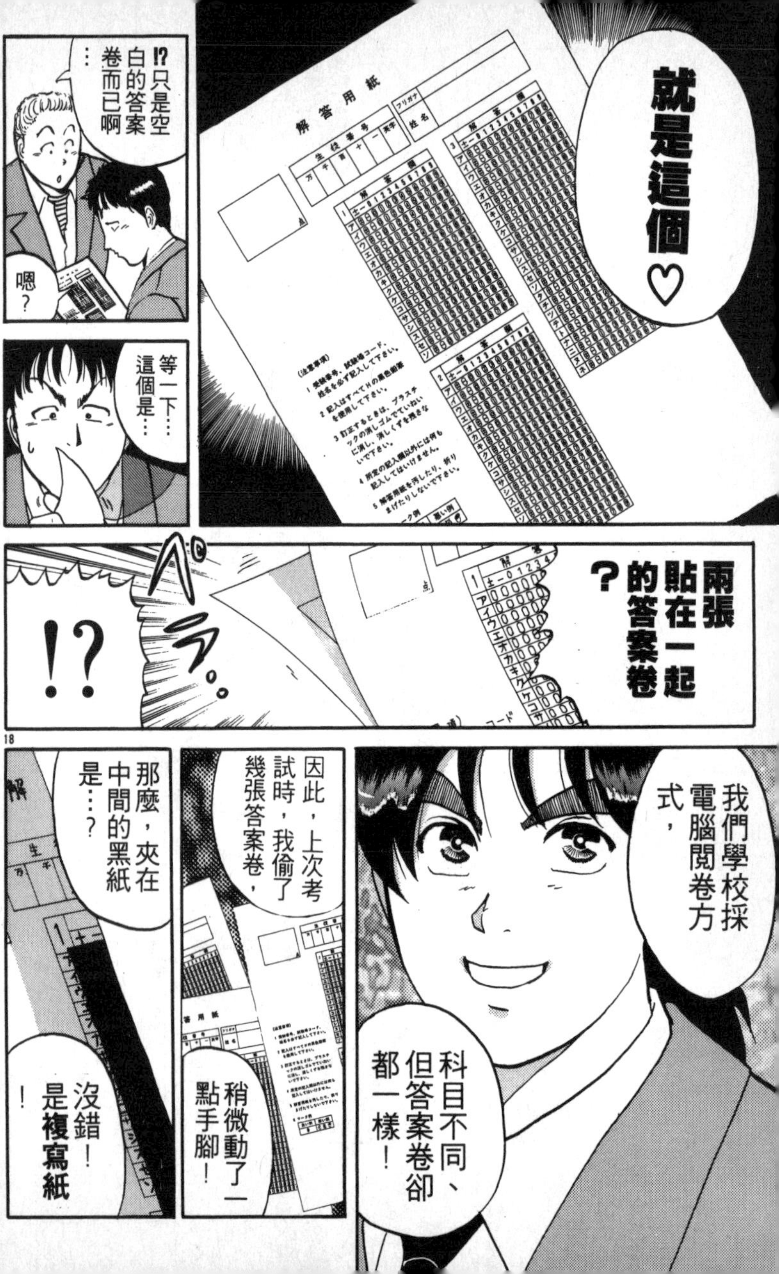
就是這個♡
解答用紙
!?只是空白的答案卷而已啊……
嗯？
等一下……這個是……
兩張貼在一起的答案卷？
!?
我們學校採電腦閱卷方式，
科目不同、但答案卷卻都一樣！
因此，上次考試時，我偷了幾張答案卷，
稍微動了一點手腳！
那麼，夾在中間的黑紙是…？
沒錯！是複寫紙！

發答案卷時，
唉唷……
我將特製的答案卷，神不知鬼不覺地放在最上面，
讓後座的朝基拿到那份考卷！
……
考完後，利用收卷時，假裝整理考卷，
偷偷地抽掉複寫紙。
把貼住的答案卷分開，取下朝基所複寫的答案卷，
再填上我的名字後交卷，就ＯＫ了！
電腦閱卷沒筆跡的問題。
哈～～！這都要感謝朝基那笨蛋！
他好像是代替我考試一樣！
這傢伙……其實應該是千面人的孫子才對吧……
……

哦——哦……
原來如此啊！
嚇一跳
原來是這樣的詭計啊！
聽到了、聽到了！
美……美雪……
……小姐……
求求你！美雪！這次就睜一隻眼閉一隻眼，放過我吧！
這次的作弊要是被察覺的話，我鐵定留級了！
說得也是，就放你一馬吧……

眞的嗎？多謝啦——！美雪！
但是——…
有一個…
條件！
條——件…？
ブォロロ

哦…堵住嘴的條件，就是帶妳到巴爾多城堡參加懸疑之夜的活動嗎？
費用還是我出的啊！
人家沒看過眞正的中世紀城堡嘛！
在那裡的懸疑之夜，一定是有點可怕、但又羅曼蒂克…
唉！女孩子爲什麼這麼喜歡幻想…！
不是很好嗎？七瀨是你的理想伙伴耶！
光你一個人和我決勝負的話，你也會心慌慌吧？
你也眞多話！
你就不要後悔找我來！
呵呵……我怎麼可能會輸呢？

尤其不可能輸給不靠作弊就無法升級的人！
……美雪說溜嘴了嗎？!!
你們看！就要到了！
哇…！那就是巴爾多城嗎？
對…但是這一帶的人卻不稱它為巴爾多城。
!?…那他們叫它什麼…？
—當地人是這麼叫的……

死靈的安棲處——

蠟人形城⋯⋯

金田一少年之事件簿

小說版 HK.50元

令您陷於迷離，思索，充滿幻想的境地。

作者：天野征丸　插畫：佐藤文也

已經出被

第1集

孤島籠罩在沈沈的雲霧之中，大海就像是昏睡般平靜無波，立在岬角上的石墓，無言地望著島上的人們，這令人屏息的寧靜，彷彿是暴風雨即將來臨的先兆。「歌劇院」的鬼魅再度復活了，他已經作好萬全的準備，一連串完美的殺人計劃，只等開幕鈴聲響起，這場好戲，就快開鑼。

第2集

當隨影的「幽靈船長」掌舵時，被詛咒的客輪就變成復仇的舞台了。

汽笛聲響了！船啓航了！不管前頭有多大的風浪，我都不能回頭，因為我是船長，我的任務是引導搭乘這艘船的不可原諒的人們至地獄。從現在開始，我的名字叫「幽靈船長」...

第3集

「七」是個幸運數字？抑或不幸的開端？就在電腦螢幕亮起，按下「*ENTER*」的那一刻，他們七個人的名字出現在電腦假設的幻想世界中，成為冒險遊戲的一員...

冰封雪襲來陣陣寒風，令人毛骨悚然；但使人整顆心為之凍結的卻是弄假成真的電腦死亡遊戲！且看金田一如何讓眾人在呼吸停止的前一刻，由殺人舞台脫困？

金田一公式大破解 **全一冊** HK.38元

編著：
日本講談社週刊少年雜誌＼「金田一少年之事件簿」編輯群

環環相扣的犯罪情節，步步懸疑的殺人圈套，隱藏在事件背後令人動容的真相，使人感感到驚慄算震撼....本書囊括「金田一少年之事件簿」漫畫單行本的各種特質，是一本完整而全面剖析金田一的書，金田一迷就不容錯過啦！

金田一少年之事件簿
死靈的安棲處「蠟人形城」嗎──
好氣派啊
蠟人形城殺人事件②

這座城原本計畫開發爲重現中世紀德意志城市的主題樂園，
ブォォ…
而特地從德國整個移建過來。
後來由於開發公司倒閉，整個計畫停頓下來——
因而在信州的深山裡，留下了這座不協調的城堡。
話雖如此，爲何在這種鳥不生蛋的地方，舉辦什麼懸疑之夜…
才不呢！這裡當做懸疑劇的舞台，再適合不過了！
只要一聽到優勝者可成爲城堡的城主的話…
我想每一位參賽者都會全力以赴！
啊……
がばっ
這座城堡是懸疑之夜的獎品～～!?
キキキ
ガクン
哇！

怎…怎麼了～！明智！突然踩煞車…！
剛剛…前面有人影……
!?連一個人也沒有啊！
眞是的！是不是看錯了什麼……？
不，的確有…！
阿一，你的後面！
!?
咦？

哇！出現了～～～!!
幽靈！
腳底
!?
對不起！
對不起！
我要…
去城堡！
看來和我們一樣是懸疑之夜的參賽者！
原來是迷路了……
啊—嚇一跳…☆
話說回來…
偷瞄
呀……！眞是很漂亮哪一國人呢？
眞的像洋娃娃一樣……
好想抱著睡！

5

哇啊!?
ガバ
!?
!!
是蠟人形衛兵!
咦——?蠟人形!
……!

ボウ……
歡迎光臨！
ギク…
啊……我們是……
明智先生、菲蘇德美小姐，金田一先生和七瀨小姐是嗎？
我叫南山，是在此地爲大家服務的。
負責服務客人的
南山駿三(35)
久候各位了，這邊請！
什麼嘛！
久等的話，幹嘛不快點出來應門！
……
……

……阿一……
你要抱到什麼時候啊？
啊！
ぱっ
哈哈哈哈……！
……
計畫把這裡弄成跟東京鐵塔的蠟人形館一樣嗎？
還有科學怪人…
請…進來！
其他的客人都已經到了。
!?
!?
!?

答！
ボーン
ボーン
哈哈……大家好……
ボー…ン
……
──只剩下一位還沒到的樣子。
時間也到了，我帶領各位參觀城堡內部。
從這裡再過去很暗，
各位請小心腳步。
……咦？
怎麼了？美雪……
這是……

9

唯獨這裡凸出一個四角形……
是不是龜裂啊？
灰泥的牆壁不會產生這種龜裂的。
這很明顯是人爲的東西……
從顏色來看，是最近才塗上的。
推理作家
多岐川穗(45)
她是推理作家多岐川穗耶！
「雙子姊妹偵探」很有名……
什麼？
那個阿嬸是……
搞不好是埋過屍體的痕跡也説不定呢？
屍體嗎？哈哈哈！
不愧是暢銷推理作家！
想法眞是毫無根據！
推理小説評論家
坂東九三郎(47)
那麼你認爲是什麼？
啊……對不起！

說起我家阿姨嘛！
美國・洛杉磯出生
愛德華・可倫坡(17)
她呀～～……就是喜歡改變房間的模樣！
──！這傢伙……！
不把家中的牆紙全部換掉，絕不罷休！
但是有一次沒注意到，連電燈開關都貼上去，折騰了好一會兒！
──這個…我想應該是電燈的開關吧？
コンコンコン
中間是空洞的…！高度及位置也剛好！
這裡根本沒有電燈嘛！
以前有！妳看！
那邊有曾經裝過東西的痕跡吧？
!!

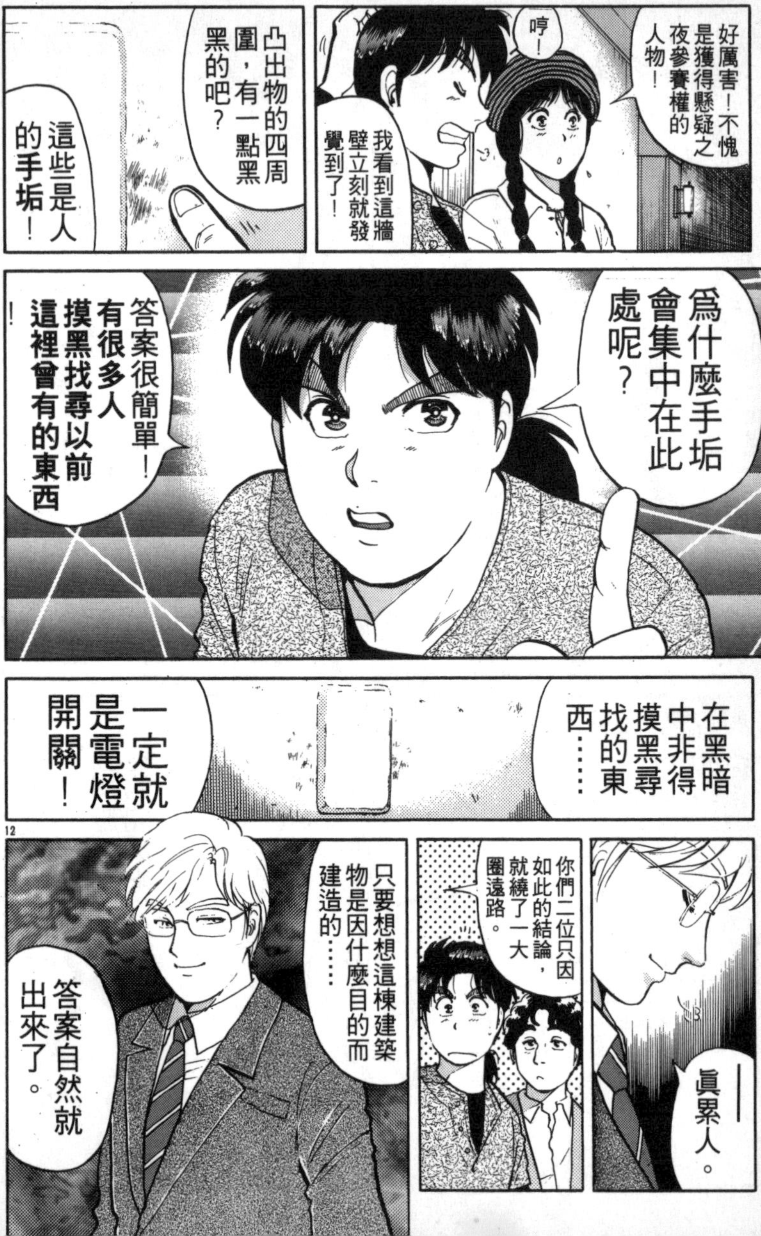
好厲害！不愧是獲得懸疑之夜參賽權的人物！
哼！
我看到這牆壁立刻就發覺到了！
凸出物的四周圍，有一點黑黑的吧？
這些是人的手垢！
爲什麼手垢會集中在此處呢？
答案很簡單！有很多人摸黑找尋以前這裡曾有的東西！
在黑暗中非得摸黑尋找的東西……
一定就是電燈開關！
眞累人。
你們二位只因如此的結論，就繞了一大圈遠路。
只要想想這棟建築物是因什麼目的而建造的……
答案自然就出來了。

日本有所謂**消防法**的法律。
戲院、百貨公司等不特定多數人聚集的建築物，
從建材到滅火器、濃煙感應器的數量，都有嚴格規定。
這座巴爾多城，原本是主題樂園的設施，
對大量的觀光客開放參觀。
在這地方，使用有火災疑慮的**蠟燭**、**煤油燈**等照明，
是不會被許可的！
由於以上的原因，當初建造時，這座城也有裝電燈的事，
我從踏進這座城時就知道了。
哼…老是說挖苦人的話…！
你才繞了一大圈呢
但是爲什麼當初有的電燈，現在拆掉了呢？
…各位，由於時間的關係…
請再往前走吧！

13

接下來請各位參觀的是「魔女狩之間」。
「魔女狩之間」？
是的，這裡用來展示中世紀德意志的資料，
是建造在城堡的地下室。
魔女狩是什麼意思——？
距今300年前，
17世紀的歐洲社會鎮壓異教徒，
對基督教主宰者而言是眼中釘的「異教徒」、「思想犯」——
當時的流行病、大飢荒全部都嫁禍給「魔女」，
人數約有900萬人！
嘿！妳知道得好詳細哦。
把靈魂出賣給惡魔，因此被冠以「魔女」之名，當做犧牲品。
偵探社社長
當麻惠(47)
在那期間不分男女，很多人都被處刑。
金田一，我大學時的主修是中世紀的歐洲史。
咦？

妳怎麼會知道我的名字——？
呵呵…我是當麻偵探社的社長當麻惠——
多指教！
ニヤ…
你和你爺爺可是這行的名人唷！
哈…啊……是——嗎……
這個大嬸倒有點像魔女…
——這裡就是「魔女狩之間」。
ギギギ…
!?
!?

コツ
コツ
原來如此……
根本就是「拷問展示室」……
逮到的「魔女」被用這些刑具，
一直折磨到死。
……
好可怕……
看起來全都是低級趣味的房間……
什麼玩意嘛，入口處的蠟人形還有這間拷問室……
真想見見做出這玩意的傢伙…
咦？
轉—動

哇啊啊啊啊
!?
蠟……蠟人形？
呀……抱歉！抱歉！
我是活人唷！
むく…
我搶先一步來這裡，想嚇嚇你們！
我叫眞木目仁！
可以算是懸疑之夜的參賽者！
犯罪採訪記者
眞木目仁(30)

那…那麼剛才南山先生所講的……
還沒到的最後一個人——……是這個人嗎？
眞木目先生！你在這裡做什麼…？
沒什麼啦！這座城實在是太好了，而且…
這座城堡說不定會成爲自己的！聽起來眞好。
眞木目先生！
啊…對不起，我……
唉…不妙……
在還沒有得到許可前，不允許有擅自的行動，
我會被主人罵的。
——加快腳步吧……
…？

各位久等了，
這座城堡的主人「烈德拉姆」在等各位。
ギ…
ギギギ…
!?裡面有人…
是先來的客人嗎？
咦!?

這……
這是……？
歡迎蒞臨本「蠟人形城」——我是Mr.烈德拉姆！
ギク
咦？
我所精心準備的禮物，各位是否滿意？
英國犯罪心理學權威理查・安德森！
!!
啊～!!
叔叔是洛杉磯市警局刑警，本身也破了很多案件的愛德華・可倫坡！

和我們長得一模一樣的蠟人形！
…哼…
當麻偵探社社長——當麻惠！
推理小說評論家——坂東九三郎！
……
日本懸疑界的女王推理作家——多岐川穗！
19歲就當上德國警界法醫的天才少女——瑪麗亞・菲蘇德美！
新銳犯罪採訪記者——眞木目仁！

警視廳搜查一課的精英警視，明智健悟！
再來是偵破很多案件的高中生金田一和他的同伴七瀨美雪！
對於以上10名參賽者，我以這座巴爾多城所有權及移建費用2億圓做賭注——
我在此宣佈巴爾多城懸疑之夜正式開始！

ゴォー…ン
ゴォー…ン
ゴォー…ン
ゴォー…ン
在此宣佈……以這座巴爾多城的所有權及移建費用兩億圓作賭注的懸疑之夜正式開始！
金田一少年之事件簿
蠟人形城殺人事件③

……
──從世界各地來此聚集的名偵探諸君！
運用你們無與倫比的「推理力」，
讓我好好地欣賞吧──！
カタ…カタ。
カタカタ。
!?
ゴゴゴゴ
!?
什…什麼？這聲音是…！

ギリ
啊——
ギ
ガコガガガガ
!?
ギギ
ギリギリ
吊橋……!
ガターン

喂…喂！門被關住了！
這是怎麼回事？
請各位鎮靜！
爲了讓各位集中精神推理，
這四天是不能出去城外的……
執事・管理人
南山駿三(35)
4天不能出去城外！
事前並沒有通知啊！
這也是烈德拉姆先生的指示。
不能遵守者以棄權論，並且喪失懸疑之夜的參賽權。
……
現在──我帶各位到房間去吧！
哼！
……
……

……為什麼？
為何要做到這種地步呢？
只不過是一場推理遊戲而已——……
怎麼愈來愈暗了？
真的要住在這裡嗎？科學怪人先生！
我最怕幽靈還有打雷聲！
我家阿姨也是。
洛杉磯市警局刑事的外甥
愛德華·可倫坡(17)
我不敢一個人去上廁所耶……！
嘻
到了，就是這裡。

嗚哇~~~!
簡直是牢房嘛!
7點開始用晚餐,
房間裡有準備各位的服裝。
服裝換穿完後,請到剛才有大暖爐的房間集合。
ジャラ
金田一!注意不要遲到哦!
來了很多外國人,可不要丟日本的臉。
哼!
多管閒事!
本人的遲到是有原則的。
哦…我是「2」號…
ガチャン
是這邊…
在明智的隔壁—
キイイ
嘖~~~!!這算什麼房間啊!
眞是的!

把我們當犯人嗎？
——眞是！
咦？
這個是…
事情不太妙……！
這次的懸疑之夜竟然有警察來參加…！
那男的該不會知道我們的事吧……
但是還是小心點好，
——當然囉！我們都是初次見面的！不是嗎？
你想得太多了。
不要讓人發現我們的關係。
是啊！

不管用什麼手段，只要能把這座城弄到手的話……
所有的一切都會消失在黑暗裡。
包括我們醜陋的「過去」…！
!?
ゴロ
ゴロ
ザワザワ
ポッ
ポッ
ザー
ザー……
!?
パラ

パタン。
……再一些……
ふーーっ……
……只要再一些……!
!?
!?

哇——好像宮廷的舞會哩！
太好了！
喂、喂……
爲什麼對我有差別待遇？
把我當成丑角……
不錯呀！阿一，很適合你耶♡
究竟爲什麼？
我們非得如此裝扮呢？
至少也該裝扮成騎士……
瑪麗亞·菲蘇德美小姐還沒來的樣子……
カチャ
時間到了，各位請往這裡來……
キィ
パァ

好豪華啊！金碧輝煌呢
是呀⋯⋯！
什麼玩意！跟我們的房間有如天壤之別！
真利害！全都是高級品呢！
咦？
？畫中的女人好像在哪見過⋯
我來遲了，真對不起！
す。。。

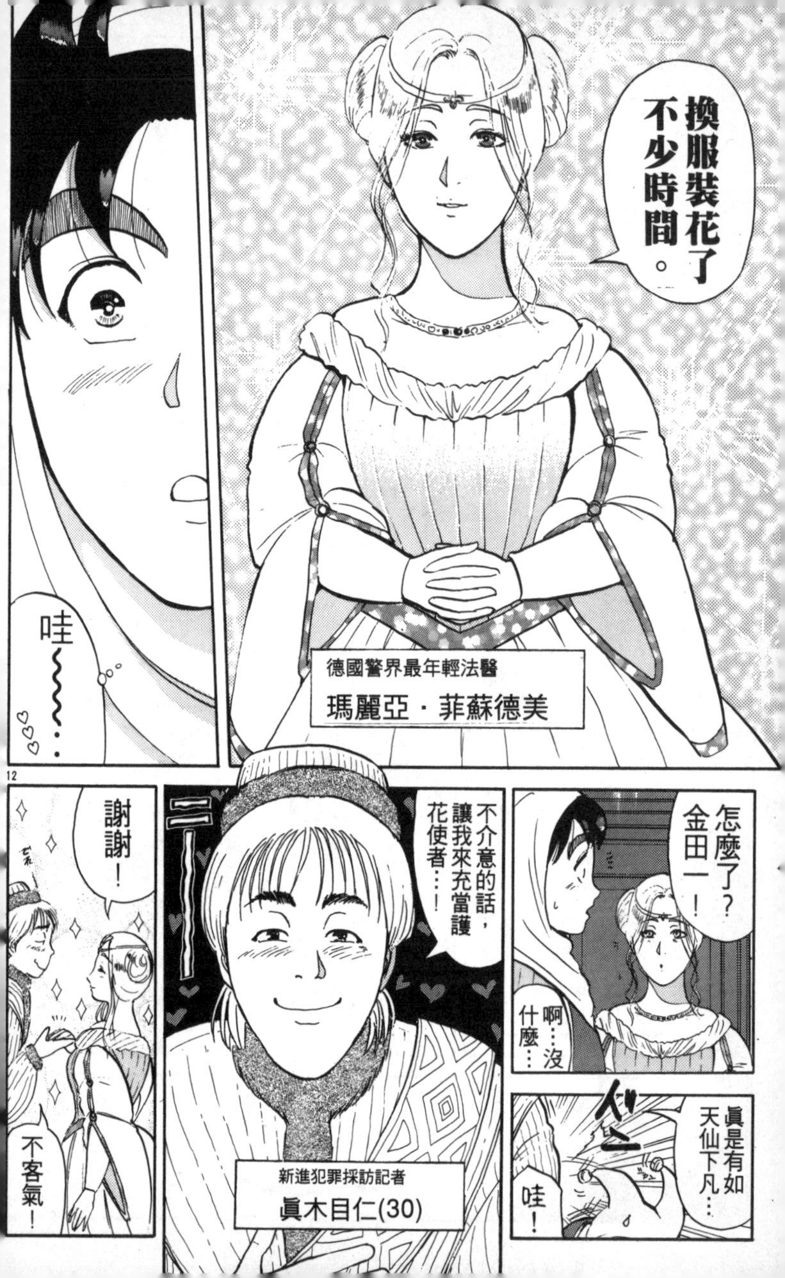
換服裝花了不少時間。
哇～～…
德國警界最年輕法醫
瑪麗亞·菲蘇德美
12
怎麼了？金田一！
啊…沒什麼…
真是有如天仙下凡…
哇！
不介意的話，讓我來充當護花使者…！
新進犯罪採訪記者
眞木目仁(30)
謝謝！
不客氣！

什麼玩意嘛！那個叫眞木目的男人！
未免太明顯了吧！
瑪麗亞眞像公主耶！
好漂亮～
一這麼說，瑪麗亞小姐…
日文說得還可以嘛！
雖然只說了幾句……
哇…吃飽了、吃飽了！
吃飽喝足♡
好豐盛的一餐！
心滿意足♡
各位，飯後玩玩桌球如何？
桌球？
地下遊戲室裡有桌球台。
希望大家去玩一下遊戲…
可以的話，我想回房間寫稿子。
推理作家
多岐川穗(45)
講談社的截稿日快到了…
但是，多岐川女士！原則上是全員參加的……
一這也是強制嗎？
カチャ…

カン
金田一沒來嗎?竟然丟下淑女不管……
一點禮儀都不懂!
那個啊……
他因爲不清楚桌球的規則,嫌麻煩不想玩,就先去洗澡了!
其實我也沒玩過呀!
呵…不嫌棄的話,我來當妳的教練吧!
ずる
ずる
!?

ザン
!?
ザー…
きゃあああ…
怎麼了？剛剛的慘叫是？
從遊戲室傳來的！
バタバタ
美雪!?
……
怎麼了!!
那…那邊…！

!!
當麻女士!?
不……!
這是…
人形…!?

這是大暖爐房間裡面的人形！
你說什麼!?
是…是誰開這種玩笑！
我相信各位一定大吃一驚──
は，
現在開始是懸疑之夜的謎題。
請仔細檢驗當麻惠的「屍體」，並從中找出兇手來。
預祝你們成功──…
這是「蠟人形殺人事件」嗎──…？
嗯……我家阿姨在的話…
ぽり
但…但是事件的提示…只有這具人形……
咦……？
人形的手中有什麼東西──？
桌球……？

爲什麼有這玩意…
哦！原來如此！
這是揭發兇手是誰的「死者的留言」……
英文叫做Dining Message！
推理小說評論家
坂東九三郎(47)
Dining？
くっくっくっ
傻瓜！
應該叫做「Dying Message」才對吧！
Dining不就成了餐廳的訊息嗎？
我們明天早餐時間也有寫嗎？
哼！
坂東先生，你還是一位推理小說評論家，連這個都不知道。
我不小心說錯而已！
唔—嗯……
綠色和紅色球嗎……？
原來如此！
我知道兇手是誰了！
犯罪心理學家
理查・安德森

咦？真的嗎？理查先生！
是的，你們看球的顏色！
假設被害者瞬間留下對兇手服裝顏色的印象…
也就是說，兇手是穿綠色&紅色服裝的人——…
Mr.真木目！
咦？
YOU是兇手——！
啊哈哈哈哈哈哈！
有…有什麼好笑的！
不…！我認為不是這樣的。
你們看，這具「屍體」是被一刀刺穿心臟的。
換句話說，兇手身上應該沾滿血跡！
那…那麼…
也就是說，兇手已經換好衣服了——！
這麼推理比較合理！
就算這兩顆球暗示當時兇手服裝顏色的話，
也未必和現在兇手所穿的服裝顏色一致。

19

這麼不確定的線索，無法斷定眞木目就是兇手！
那…那麼YOU認爲誰是兇手……？
不用想得那麼複雜嘛。
請看這兩個號碼！
「屍體」所握的球，數字是③和⑨——……
坂東先生您的名字確實是——
也就是說，⑨和③的球代表「九三郎」……
九三郎對吧
？
暗示出你的名字！
兇手就是你！坂東九三郎先生！
豈…豈有此理！我哪是兇手……！

金田一……很可惜，你的推理……
有很大的矛盾！
明智警視！
這個「被害者」是被一刀刺穿心臟的——可能是當場死亡的吧！
當場死亡的人是沒有餘力去握球的。
——總之……
這個死者的留言本身就是「兇手」設下的圈套！
兇手想嫁禍給坂東先生！
……

這麼說，你知道眞正的兇手囉？
沒錯……
現在我來解開謎題的答案吧！
『殺害』「當麻惠」的兇手的真面目！

被刺到心臟而當場死亡的「人」，不可能有爲了——
暗示兇手是誰而手握住球的道理…
——如此看來，遺留在現場的⑨和③所謂死者的留言本身——
是兇手爲了嫁禍給坂東「九三郎」而設下的圈套。
喂，我才是主角耶！
金田一少年之事件簿
蠟人形城殺人事件④

——證據就是……
請注意看「被害者」所握住的球。
喔!?～～～!!
這……這顆不是⑨號球耶！
什麼……？啊！
……！真的耶……！
如果是⑨號球的話，顏色應該是黃色，而且在球的上下要有白色線條才對……
而這顆球是綠色的！
——說的對！這不是⑨號球
而是⑥號球！

這麼說兇嫌是…
與⑥和③有關係的人物…？
不——這個訊息只是…
兇手為了嫁禍給坂東先生的戲碼而已。
那麼…為何兇手把⑥號球…？
道理很簡單，兇手他搞錯了。
而且——會犯下這種錯誤的只有一個人——
金田一……
就是你！

阿一他……？
剛才你沒有參加的桌球大會裡，
我們是在玩叫做「NINE BALL」的遊戲。
……
「NINE BALL」有如其名，
⑨號球在這遊戲裡扮演著重要的角色。
我們參加了這場遊戲的人，不可能會把⑨號球搞錯的……
除了當時不在場的金田一之外！
……
……呵……

真不愧是明智！被你識破了！
あーはっはっ
沒錯，兇手就是我！
しっらー
哈……
啊—唉！這麼幼稚的詭計，我就知道馬上會被識破。
這……這是怎麼一回事？阿一
?
就是這麼回事！我的房間裡有這封信！
ピラ
REDRUM
我只是依照這封信的指示行事罷了！
!?
REDRUM

那…那麼你…真的是兇手…嗎？
是啊！沒參加桌球大會及搞錯⑥號和⑨號球，全都是依照指示的！
扮演兇手可不輕鬆耶！
要從大暖爐房間搬人形到這間遊戲室哩——！
雖然人形比實際上看起來要輕一些，
但是一邊搬，還要避開大家的視線…
剛才我所說的「不夠水準的推理」，
說出口時，自己都快笑出來了！
可不是我輸不起啊！
喂……喂，等一下！
懸疑之夜
……
該不會這樣就結束了吧…？
推理小說評論家
坂東九三郎（47）
咦…？難道不是嗎？謎題結束了啊……
少開玩笑！這麼低級的謎題就想混過去嗎！

這樣子說得過去嗎？快叫負責人出來！
被…被你這麼說，我也……
我無論如何都要得到這座城堡——！
……？
!?
!!
各位！頭腦體操熱身賽如何呢？
對於諸位優秀的名偵探來說，或許微不足道吧！
但是，真正的懸疑之夜，現在才要開始……！呵呵呵……
現在起，真正的謎題和恐怖感會一個接一個出現在你們面前！哇哈哈哈……
什麼玩意……！故意嚇人……！
哼
不愧是超水準的懸疑之夜，設計得如此詭異。

這樣就結束的話——
我們來到這個信州的深山裡，不就沒有意義了嗎？
新鋭犯罪採訪記者
眞木目仁（30）
我要將這座城移建到夏威夷，改成杜羅比卡爾別墅！
……
……這傢伙在盤算什麼啊……
——那麼我去請當麻女士過來。
キイ…
啊！請等一下！
大家一起去吧！當麻女士一個人一定很無聊！
大家過去嚇嚇她吧！
英國犯罪心理學權威
理查・安德森
我才不幹！
OH~~！NO!!
大家都去比較好玩嘛！
ぞろ ぞろ
ぞろ
……
コン コン コン
當~~~麻女~~~士？

當麻女士？妳可以活過來了呀！
コンコン
呵、呵！
しーん
？
沒有回答……？
門沒有上鎖的樣子——……
キィィィ
咚！
!?桌球……？
コロコロ
コロ…
!?

這個光景象徵「遊戲」已經結束了。
當麻惠的屍體有如重現我們在遊戲室裡所看到的景像一樣——
!?
她的右手握住球、背部插著短劍、倒在一片血海之中。

呀啊啊啊啊～～～!!
當……當麻女士!
誰快去叫醫生……!
啊……不!叫警察!
瑪麗亞……?
喂……喂，妳!
做什麼?
……
!?
咚
各位!這是殺人事件!
死因是由於心臟出血所引起的失血性休克死……
德國警界最年輕的法醫
瑪麗亞・菲蘇德美
……!?

人死的話，全身的肌肉會收縮而變僵硬。
當麻女士的僵硬程度已經到了下顎部位——
死後經過兩個鐘頭了吧！
……
金田一，你搬運當麻女士的人形到遊戲室是幾點的事？
12點半啊！Mr.烈德拉姆的信上，是這麼指示的。
換言之……
在蠟人形「被殺」之前，當麻女士就已經遇害了是嗎？
喂…喂！不管如何，不通知警察行嗎？
…這個…那個……

這座城裡沒有安裝任何──
電話及其他通信設備……
執事・管理員
南山駿三（35）
！那麼我們如何和外界聯絡呢？
總之，快叫Mr.烈德拉姆出來！
烈德拉姆先生不在這裡……
什麼……？
大家鎮定下來！中庭有我的車！
只要到山腳的村莊，應該就可以和外界連繫！
對…對啊！
快把吊橋放下──！
啊──？

轉動吊橋的機械……！
看樣子無法修復了…
這是誰幹的！
沒有其他方法放下橋了嗎？
控制吊橋上下的機械只有這個而已……
怎…怎麼這樣…！
……阿一……
叫我們一直待在說不定有殺人犯的地方嗎！
……

在這座被黑暗包圍、狂風暴雨交加的古堡裡——
オオオオオ…
我似乎聽見不明人物的笑聲。
……
他暗地裡進行邪惡的陰謀……
並發出惡魔般的陰笑聲——……

!?
你該想想辦法啊！
竟然把我們關在這種地方！
坂東先生！3天後會有巴士來接我們！請忍耐一下！
說、說什麼風涼話嘛！
這座城裡不知道哪裡有殺人兇手哩！
殺死當麻的殺人鬼！
……
就算1秒鐘我也不想待在這裡啊！
ぶん
ぶん
啊——！
喂喂……？

其實…這應該不是什麼大問題！
洛杉磯市警刑警的外甥
愛德華·可倫坡（17）
找出兇手的線索——
我覺得有一條線索可循……
咦!?
我家阿姨是個推理小說迷！每當我借她看過的推理小說來看時，
她總是喜歡在旁邊事先解說故事內容。
兇手一定事先知道推理謎題中「當麻人形」如何被「殺害」的事。
因此得以事先用同樣的手法，將當麻女士殺害掉吧？
原…原來如此！這麼說兇手是——

收到信件的金田一和——
!!
咦!
ギクッ!
你!南山先生!
沒錯吧!你比我們早來到這座城堡⋯
偷看那封信,想必不是一件困難的事吧?
沒⋯沒有!我沒有看過什麼信件啊!
那麼,其他還有誰⋯⋯
什麼?
——知道信件內容的傢伙,還有一個人⋯!
Mr.烈德拉姆本人!

啊……！
難…難道Mr.烈德拉姆把當麻…？
說什麼傻話！烈德拉姆不在這座城裡啊——…
但現在我們的行動都在他的監視範圍下！
就算他人在外面觀看閉路電視，當他知道發生真的兇殺案時，
應該要跟我們說一聲，也應該通知警察才對啊。
如…如此說來…但是那傢伙在哪裡呢……？
不…這座城裡看不出有可以藏人的地方——
我想說的是，在我們當中混進了一個…
隱藏著真面目的「Mr.烈德拉姆」！

什麼……？Mr.烈德拉姆……
啊！原來是這麼一回事啊…！
在我們這些人之中…？
我忽然想到，我好像在哪聽過「烈德拉姆」…
各位是否看過「鬼店」這本恐怖小說？
「鬼店」？
這本小說後來也拍成電影，是美國作家史蒂芬・金的作品。
它是以科羅拉多的古老旅館為舞台，
描述一個被亡靈纏身的男子要殺害家人的小說…
推理作家
多岐川 穗(45)

那…那又怎麼樣…？
在那本小說裡，有出現「烈德拉姆」這個字啊！
注意看好。
キュッ
R·E·D R·U·M…
把它倒過來寫的話──！
!?
REDRUM
MURDER
MURDER!?
「殺人」──!!
……

換言之，有自稱是「殺人者」的人物……
RDER

混進我們這
10人之中！
REDRUM
MURDER
……

搬遷啓示

敬啓者：

本公司謹定於一九九六年八月十日起遷往下列新址：

香港北角渣華道321號
柯達大廈第二期1901室

電話:2386 2312　　圖文傳眞:2361 8806

Please be informed that our office will be moved to the following address with effect from August 10.1996.

Flat 1901, Kodak House, Phase 2, 321 Jave Rd., North Point H.K.

TEL:2386 2312　　FAX:2361 8806

一切信件及稿件
敬請轉寄新地址!

東立出版社(香港)有限公司　謹啓

在長野縣人煙稀少的日本阿爾卑斯山裡，有一座仿建中世紀德意志城堡的「巴爾多城」——
通稱爲「蠟人形城」，以這座城堡的所有權爲賭注，在此地正舉行一場4天3夜的「懸疑之夜」。
由於明智警視的邀約，我和美雪也來參加這場盛會——
但是，在這場活動的推理謎題中，卻發生參賽者當麻惠的命案。
她的離奇死亡，竟然與謎題中「被殺的」蠟人形一模一樣！
金田一少年之事件簿
究竟自稱爲「殺人者」的謎樣人物
「Mr.烈德拉姆」是何方人物…！
愛德華・可倫坡
瑪麗亞・菲蘇德美
坂東九三郎
理查・安德森
當麻惠
眞木目仁
多岐川穗
南山駿三

「烈德拉姆」——
……
REDRUM
MURDER
混在我們之中……?
蠟人形城殺人事件⑤

對了！南山先生你是管理人，應該知道——
咦？
Mr.烈德拉姆的眞面目吧？
對…對啊！快說！
這個……那個……
這裡面誰是烈德拉姆？
事實上，我也沒見過——
烈德拉姆先生……！
怎麼可能？
你連主人都沒見過嗎？
是…我說的是眞的！
2個月前，突然有一個包裹寄到我所屬的秘書派遣公司——
包裹中的信件，指名要我代替他來安排懸疑之夜的事宜……
包裹裡面還附有一大筆錢及詳細的資料！
所以我本身今天也是才第一次來這裡的……
怎麼會……
請等一下，Mr.南山！
すっ

你剛剛說包裹裡面有信件吧？
那是用信紙寫的？還是用「留言卡」寫的？
是用信紙寫的。
信紙是什麼顏色？
我記得是一般普通的白色…
？
……
字是直著寫？還是橫著寫？
這個嘛…
我想不起來了，可是…我的確是看過的…
那麼，包裹上面的郵戳是哪裡？
啊…這個我也記不得，我想都沒想過會發生這種事情…
問他也沒有用，反正他是一派胡言！
不！Mr.南山沒有說謊！
!?
這話怎麼說？

如果他現在流利地回答所有問題的話，
反而說謊的可能性更高！
如果他說謊的話，字是豎著寫、還是橫著寫？郵戳是哪裡？他只要隨便說都沒關係！
但是他說「想不起來，忘記了」──！
這是因為他說的都是實話！
人在說謊時，害怕會被懷疑，所以會很詳細地解釋⋯
原來如此⋯眞不愧是犯罪心理學家⋯
⋯⋯
南山先生，你還有想到有關於「你的雇主」的事嗎？
⋯這⋯這個⋯信是用文書處理機寫的⋯
這麼說來⋯⋯
你也不知道烈德拉姆是男的還是女的嗎？

看起來，我們毫不知情地…
跳進捕鼠器當中的樣子了！
我們跳進Mr.烈德拉姆—
ゴオオオオオ
殺人遊戲的圈套當中！
這…這麼說來，這個懸疑之夜不就是…
爲了殺人而企畫的囉！
—是的！而且這個活動還是4天3夜呢—
目前行程還有3天。

換言之，Mr.烈德拉姆自導自演的殺人劇——
才剛剛揭開序幕而已。
以這座蠟人形城爲舞台……
這裡有如監獄一般，一步也不能外出。
……
……

ゴオオオオ
走吧！美雪！
嗯……好。
咦？
!?
……
!?
咦～～
眞有點意外耶！那個人……

這果然是復仇吧…？跟那次事件有關的某人…！
別胡說！
那次事件早就成爲懸案了！
知道「那兩人」的事的，只有我們和死去的當麻而已！
我看你是累了，早點回房休息吧！
那…那麼我先告辭了…
…嘖！害怕什麼嘛！
不，等等！說不定他在演戲也不一定。
難道，那傢伙背叛了…
ゴォォォォ
對了…人形！查看看說不定會發現什麼…
パチ

……
咦!?…?
刷
!?
這…這是怎麼一回事?連這個傷痕的事也……
這果然是……

!?
你在這裡做什麼呢？理查先生！
哦！我在欣賞人形啊！
做得可眞像！
金……金田一！
!?是嗎？特徵是有掌握到，但是我覺得臉部有點粗製濫造……
是啊！但是製作這人形的人，事先調查得滿詳細的！
你看！
你看人形的耳後有傷痕吧？
我也有相同的傷痕！
眞的耶！形狀和大小都很像耶！
對吧？我自己也嚇一跳！

那麼我先告辭了…！
啊…！理查先生！
最好不要一個人在外徘徊亂逛，
接下來就是趕快回到房間，也請不要忘了上鎖。
……
……？
我知道的——！

囚犯要有囚犯的樣子，要待在牢房裡吧！
——但是……Mr.烈德拉姆是這座城的主人，
我就算門上鎖，也許也沒有用吧？
咦？
バタン
!?
…對了，
我想起來了！
明智…是明智嗎？

!?
要是我沒有記錯的話……
……咦……？
這……這裡是……？
!?
唔哇！

這、這到底是……
我……我怎麼會在這種地方呢？
是我帶你來的啊！
你……
你是…？
你…到底想把我怎麼樣？
……
你到底是…？
咦？

難…難道…
怎麼會…
ギギ…
笑
ギギギ…
!?
住……住手~!求求你!
救命啊~~!!
ゴオオオオオ

這次事件裡，最解不開的謎就是蠟人形──…
爲什麼當麻惠被殺害的手法…
是和蠟人形一樣的手法呢…
兩人都是被一刀貫穿心臟，
手中握著⑥與③號球……
我認爲兇手的目的不只是──
單單讓我們感到恐怖而已…
!?
長得實在太像瑪麗亞小姐了。
而且──大廳所懸掛的畫像，也讓我很在意…
這只是單純的偶然嗎…？

啊……
オオオオ。。
!?

呵呵呵…
嗯…
哇哈哈哈哈…早安啊！「東之塔」的各位名偵探們！
和平的夜晚已經過去了！
咦？
恐怖的第2舞台已經開演了！
這次的舞台是「西之塔」！
可惡…！難…難道又……
這是Mr.烈德拉姆一點小小的忠告！
哇哈哈哈…
明智！這是…
我也不知道，總之快去「西之塔」！
可惡……！打不開！
門從裡面上鎖了！
踢破吧！

那是……!?
理查先生……?
!?
不……這是……
理查先生的人形……
什…什麼嘛…讓人捏了一把冷汗…
……!!

理查的房間！
咦…？
你忘記了嗎？當麻惠被殺害時，也是像這樣——
先發現人形的「屍體」，然後——
啊！
ダダダダ
理查先…！
!?

燭光搖曳的陰暗房間裡，我們所看到的是——
和在「小暖爐之間」裡所看到的心臟被木樁釘入、橫躺著的蠟人形一樣，那正是斷了氣的理查．安德森屍體的慘狀……

金田一少年之事件簿
長野縣的日本阿爾卑斯山裡，有座移建自德意志城堡的「巴爾多城」──通稱「蠟人形城」……
以這座城爲賭注、在此展開的懸疑之夜活動中，我和美雪以及明智警視被捲入殺人事件當中。
懸疑之夜的參賽者當麻惠，
她的死法和推理謎題中「被殺害的」蠟人形是一樣的。
究竟自稱爲「殺人者」的謎樣人物──「Mr.烈德拉姆」是誰呢？
理查・安德森
坂東九三郎
瑪麗亞・菲蘇德美
愛德華・可倫坡
南山駿三
多岐川穗
眞木目仁
當麻惠
──緊接著在我們面前又出現第2名犧牲者──
……怎麼會這樣！

又是和蠟人形一樣的手法被殺害……！
……!!
蠟人形城殺人事件⑥

!!對了，兇手——
說不定還躲在這附近！
!?
能讓兇手藏身的地方是——
死掉的當麻的房間嗎？
沒半個人影……？
兇手趁我們在注意理查先生的屍體時逃走的吧？
不！那是不可能的。

當麻的房間就在被殺害的理查先生的隔壁而已。
有人從那裡逃出的話，一定會有動靜的！
……這麼看來兇手是西之塔的……
發生什麼事了？
啊……那個「小暖爐房間」的人形到底……
吵死人了！搞什麼嘛！這麼晚了……？
？
怎麼回事啊？又聽到烈德拉姆的聲音！
!?
理查……先生……
唔！
趕……趕盡殺絕……！
我們會被烈德拉姆趕盡殺絕的！

嗚哇啊——！
坂東先生！
……
ゴオオオオオオオ。
——死亡推定時間是距現在大約2小時前……
死因是失血過多，全身有十幾個部位被針狀物刺過的痕跡。
那可能是在別的地方被殺掉，屍體移來這裡之後才釘上的——
那麼，胸口所插的木樁呢？
我想這個推斷是不會錯的。
爲什麼兇手要在屍體上釘樁呢……？
……
由此看來，這是一連串沒有特定對象的殺人事件……
日本人當麻和英國人理查……——看不出殺人動機有什麼共通之處……！
——是你說的那樣子嗎？
什麼？

你們看，這是理查的記事本！
內容充滿摻雜漢字的流暢「日文」。
這是……！
會說日語的外國人雖然很多，但是會使用漢字的外國人可不是那麼多。
可是理查講的卻是隻字片語式的日語——這一點讓人無法理解。
或許他曾經在日本待過相當長的一段時間，但基於某種理由，爲了要隱瞞而裝成日語很差的樣子吧？
果眞如此的話，就相當可能有和當麻被殺相同的動機！
……

卡嚓
阿一！你怎麼啦？從剛才就一直在看人形……
美雪……！
我覺得……這個蠟人形……
有一點奇怪……
奇怪……？
妳看這支木樁！我還以為它刺在人形身上，結果一看尖端是平的
只是被放在胸口上而已。
7

但理查本人被以別的方法殺掉後，兇手還特意地刺上木樁……
會不會是人形太硬了，所以才沒刺呢？
沒那回事，妳看！
サク。
啊！
是吧？這人形並不會很重，只有頭的部份是用蠟做的。
身體是用發泡苯乙烯做的。
ペラ
手套拿掉的手也是這副德行……！
スポ
兇手一定有**某種理由**，而以「殺害」蠟人形的相同手法，來殺掉本人。
要是如此的話，理查的人形身上沒有釘木樁，一定有它的**理由**！
想知道那個理由—
！
最好的方法就是問Mr.烈德拉姆本人吧？

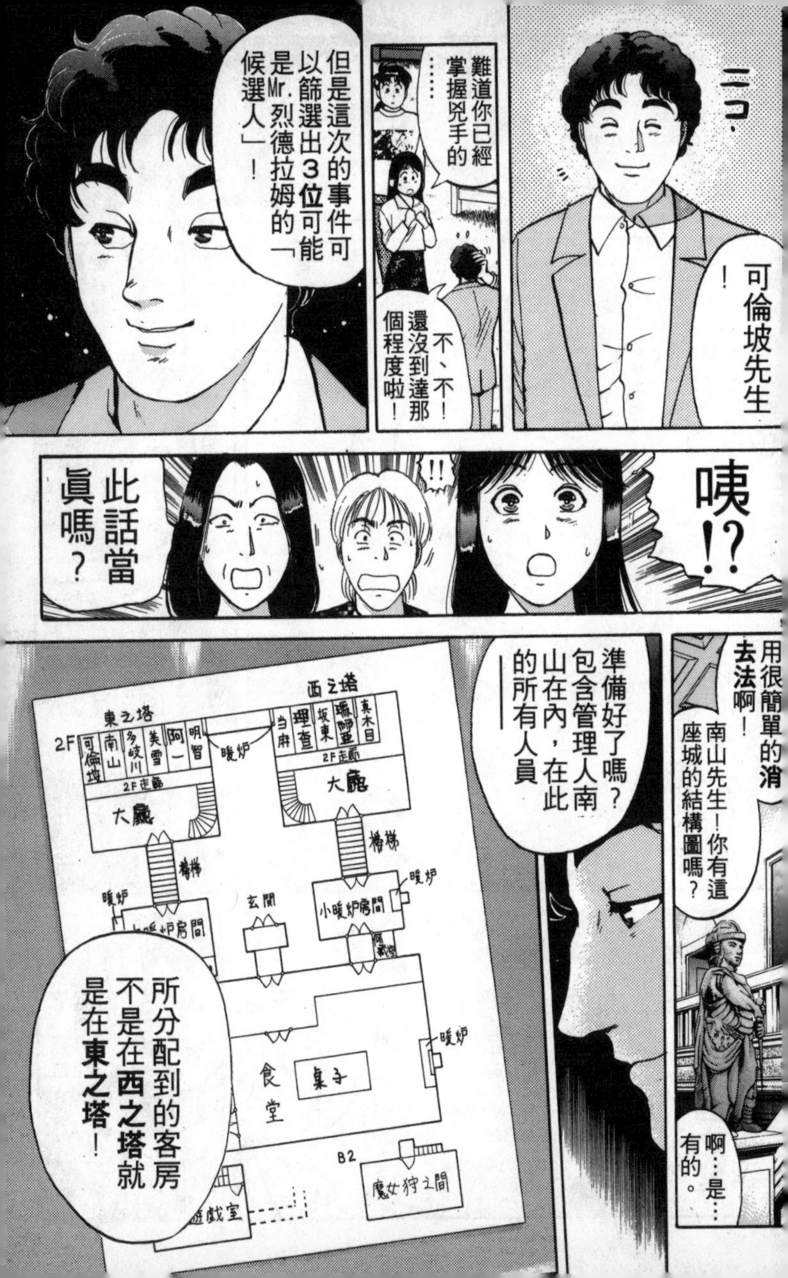
ニコ
可倫坡先生！
難道你已經掌握兇手的……
不、不！還沒到達那個程度啦！
但是這次的事件可以篩選出3位可能是Mr.烈德拉姆的「候選人」！
咦！？
！！
此話當真嗎？
用很簡單的消去法啊！
南山先生！你有這座城的結構圖嗎？
啊……是……有的。
準備好了嗎？包含管理人南山在內，在此的所有人員——
西之塔
真木目
坂東
理查
当麻
2F走廊
大廳
樓梯
暖炉
小暖炉房間
東之塔
2F
可倫坡
南山
多岐川
美雪
阿一
明智
玄関
食堂
桌子
B2
魔女狩之間
遊戲室
所分配到的客房不是在西之塔就是在東之塔！

從我們所在的東之塔……
到Mr.理查屍體所在的西之塔……
暖炉
小暖炉房間
無論如何都要經過「小暖爐房間」。
但是金田一他們聽到烈德拉姆的聲音趕到時，
「小暖爐房間」的門從裡面上了牢固的鎖！
──換言之，事件發生當時……
西之塔
真木目
瑪麗亞
坂東
理查
当麻
2F走廊
大廳
樓梯
暖炉
小暖炉房間
從小暖爐房間到西之塔的區域是一個巨大的密室！
並且，從小暖爐房間到西之塔的客房之間……
沒有可以讓人出入的窗戶以及藏身之處。
如此一來，自然可以篩選出可能是兇手的人。
那…那麼是…
在東之塔的人是無法從小暖爐房間裡面上鎖的。
只有在西之塔的人才辦得到

Miss菲蘇德美!
Mr.眞木目!
再來是Mr.坂東，就是你們三人其中之一啊！
西
真木目
瑪麗亞
坂東
理查
当麻
2F走廊
大廳
少…少胡扯！你說我是殺人兇手嗎？
不…我是說這三人當中的某人……
—但是你們不覺得奇怪嗎？
多岐川女士！
兇手從裡面上鎖，將自己關住—
這樣子簡直是低級的推理小說嘛！
這樣子不就如同自己宣告「我就是兇手」嗎？
兇手是爲了嫁禍給西之塔裡的3個人，因此使用某種詭計造成密室。
這才稱得上是「正統推理」啊！

哦…那麼兇手是用什麼密室詭計呢……？
我…還沒想到那裡…
……秘密通道……！
咦？
不管是在日本還是在歐洲，這樣的古城堡都有「秘密通道」以備戰時之需！
哦？
搞不好有「秘密通道」可以不經由小暖爐房間而直接通到西之塔…！
!!
你們看！這間遊戲室的地方！
1F
大廳
B1
地下遊戲室
這裡畫有虛線！
儲藏室
遊戲室
假設這是秘密通道的話…！
12
這裡真的有秘密通道嗎？
你們等著看吧！
拆下這塊嵌板的話，一定……
嘿咻

拆下了！
パカ。。
太好了！
我進去——
看……
看……
ズボ。。
好……好像碰壁了……
くる～り
……
はっはっ
我就知道會這樣！
你仔細想看看！在德意志時代或許在那裡有秘密的地下通道吧！
但是移建到日本來時，你認為會挖地道嗎？
嘻……或許你說的對……
知道的話，何不早說呢——
真討厭～～～!!
ぐぬぬ
啊——啊！都是泥巴！
該去洗個澡吧！

那一天就這樣——
在Mr.烈德拉姆令人毛骨悚然的沈默當中，夜深了——
「死亡的懸疑之夜」正要開始迎接第3天的早晨……
2天內出現了2名犧牲者…
ヒョオオ…
烈德拉姆所設下的這場殺人遊戲，一定有什麼內幕…？
仿照人形來殺人，到底隱含什麼意義？
並且——聽到烈德拉姆的聲音，趕到西之塔時…

通往西之塔的唯一通道「小暖爐房間」，是從裡面上鎖的。
不必經過小暖爐房間，就可到西之塔的秘密通道不存在的話，
是不是就如可倫坡的推理，兇手是瑪麗亞、眞木目、坂東這3人其中之一嗎？
或者是多岐川所説的，兇手運用某種詭計，
想嫁禍給西之塔裡的某人嗎？
啊……！可恨！
ガバ
愈想愈睡不著！
……嘖！眞沒輒！
什麼──！已經早上6點了嗎？
究竟有沒有秘密通道呢？
再仔細調查一次吧……！

唔哇——好暗！
コツーン
コツーン
神啊！請保佑我……
不要遭到兇手的攻擊啊……
ギギ
ムワ
唔哇？好熱啊！
怎…怎麼會這麼熱……？
有如洗三溫暖一般！
バタン
バタン
唔~~~
ゴオオオオオ
雨好像停了，狂風還在吹嗎……？

カッ
ドド
唔哇！
ドーン
!?
ゴロゴロ…
咦？
那是…
瑪麗亞…小姐…？
!?
啊…不見了？
是我看走眼了嗎？
但是剛剛的確……

你怎麼了？金田一……
ギクゥ
啊…咦？瑪麗亞小姐！剛剛……
你在這裡做什麼呢？
沒…沒什麼…我從外面找看看有沒有連接東、西之塔的秘密通道啊……
なははは
唉…害得我睡眠不足…
嗯！那裡是我們所在的東之塔…
……
咦？
那是什麼──？
ゴオオオオ
連接塔和塔的拱橋正中央的突出物是…？

那個是……暖爐的煙囪啊。
煙囪？
是啊……！現在沒有在使用的樣子……
啊……！是當麻女士房間暖爐的煙囪啊！
バタン
咦？
她對面的明智的房間……
好像也有暖爐……？
暖炉
明智
阿一
美雪
2個暖爐共用一個煙囪……
理查
当麻
暖炉
明智
阿一

……
搞不好這兩個暖爐──…
ペロ
!?
すっ
ビクッ
咦…!?

ぞくっ。
有如冰塊一般……！
唔哇！
ぱっ
瑪…瑪麗亞小姐……！
……
到…到底，妳……？
ギクッ
烈德拉姆嗎？
各位，久等了！第3場戲開演了！
快趕往「大暖爐房間」吧！這次會發生什麼事呢？
哇哈哈哈…
可惡！「大暖爐房間」的話……
だっ
這次是東之塔的誰呢？

明……明智
人形的——
頭……!
怎…怎麼會…難道下一個是——
明智警視嗎……?

少年之事件簿
移建到日本阿爾卑斯山的中世紀德意志古城「巴爾多城」—通稱「蠟人形城」—
以這座城的所有權爲賭注所舉行的懸疑之夜中，我和美雪及明智警視被捲入駭人的命案。
懸疑之夜參賽者中的當麻惠和理查・安德森兩人——
相繼被以蠟人形的「殺人預告」方式所殺害！
究竟自稱爲「殺人者」的謎樣人物
「Mr.烈德拉姆」是何方人物…！
理查・安德森
坂東九三郎
瑪麗亞・菲蘇德美
愛德華・可倫坡
南山駿三
多岐川穗
眞木目仁
當麻惠

明智人形的頭……！
該……該不會明智警視他……
……
蠟人形城殺人事件⑦

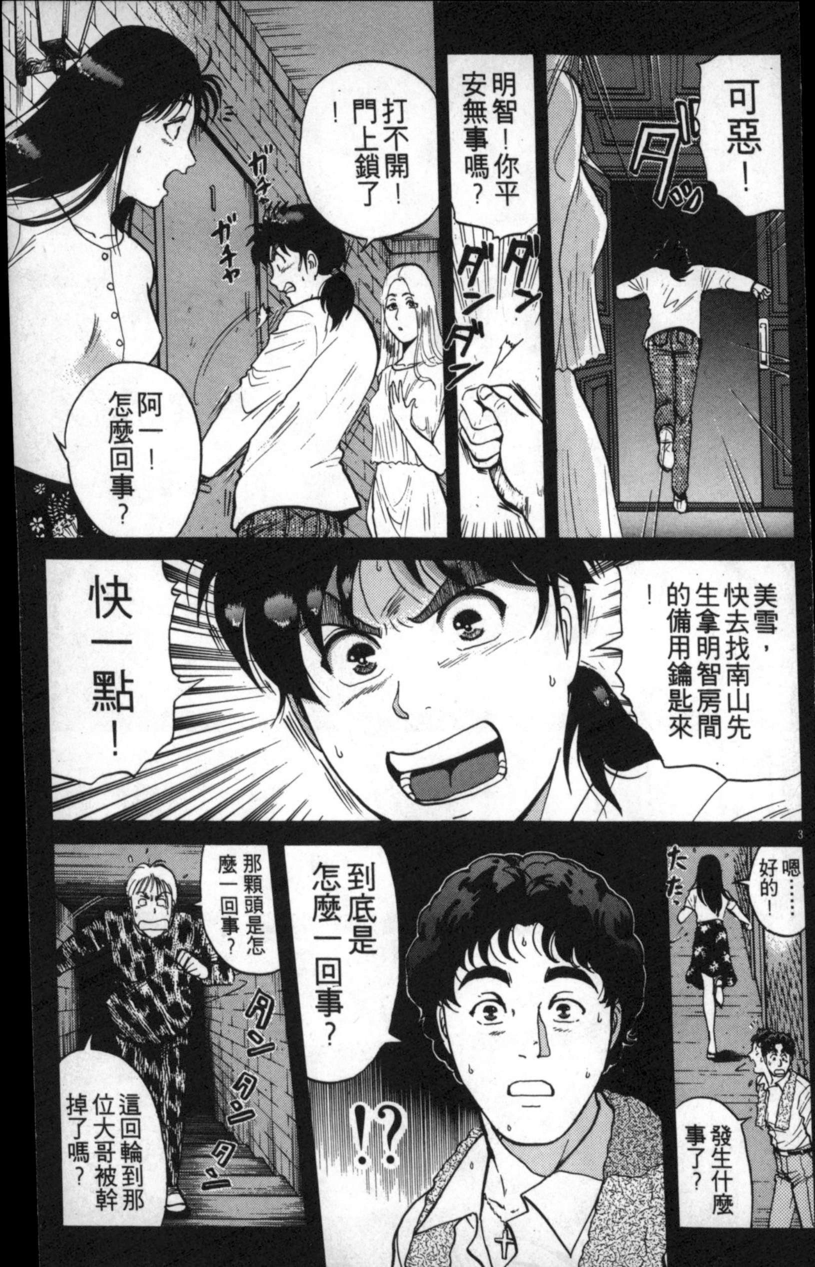
可惡！
ダダッ
明智！你平安無事嗎？
ダン ダン
ダン ダン
打不開！門上鎖了！
ガチャ
阿一！怎麼回事？
美雪，快去找南山先生拿明智房間的備用鑰匙來！
快一點！
嗯……好的！
たた
發生什麼事了？
到底是怎麼一回事？
!?
那顆頭是怎麼一回事？
這回輪到那位大哥被幹掉了嗎？
タン タン タン

阿一，我帶他來了！
南山先生！1號房間的備用鑰匙……
沒、沒有那玩意！
我四處找備用鑰匙，但是…
你說什麼？
喂！你們來看…！
用這個破門而入怎麼樣？
可惡！這麼堅固的門！
可惡！

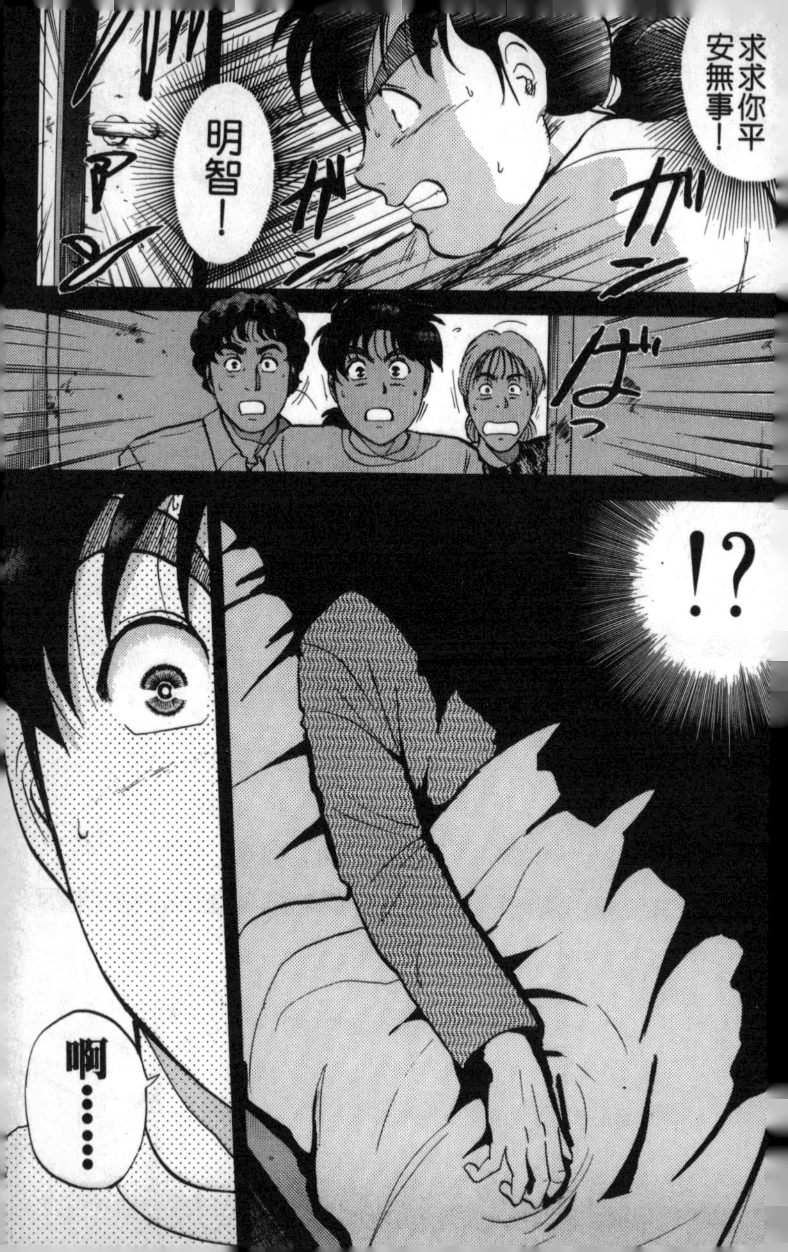
求求你平安無事！
ガン
明智！
ガン
ばっ
!?
啊……

明智！
明智！你振作一點啊！
…唔…
……金田一……是你……？
明智！
太好了……！你平安無事！
我一直叫你，你都沒有反應，我還以爲…
你有叫我嗎？
……我一點感覺都沒有……
咦？我們還把門敲得轟轟作響呢…
──請你説話不要那麼大聲…我的頭很痛。

──你們不覺得奇怪嗎？
烈德拉姆明明揚言，說將發生第三件命案…
可是這次明智先生卻只是昏睡而已。
這麼說來……
咦？
坂東先生不在這裡嗎？
──到底去哪裡……
阿一…！
…總之……大家到坂東先生的房間去看看！
!?
你們看！
坂東先生的人形不見了！

是啊！
……
我剛剛經過的時候，的確有看到坂東先生的人形啊！
該不會…糟糕了！
快點！
坂東先生!?
人……人形？
!?
唔哇!?

坂……
!?
坂東…先生…
ゴオオオォ…

咦？
這個是……
好像是什麼東西的遙控器。
嗶！
各位名偵探！辛苦你們了……！
!?
這是烈德拉姆的聲音！
巴爾多城懸疑之夜在此宣告結束……！
這次的事件，完全是「Mr.烈德拉姆」，也就是我坂東九三郎……
為了殺害當麻惠以及理查·安德森而計畫的。
——接著，「烈德拉姆的聲音」說明自己和當麻以及理查是大學同學——

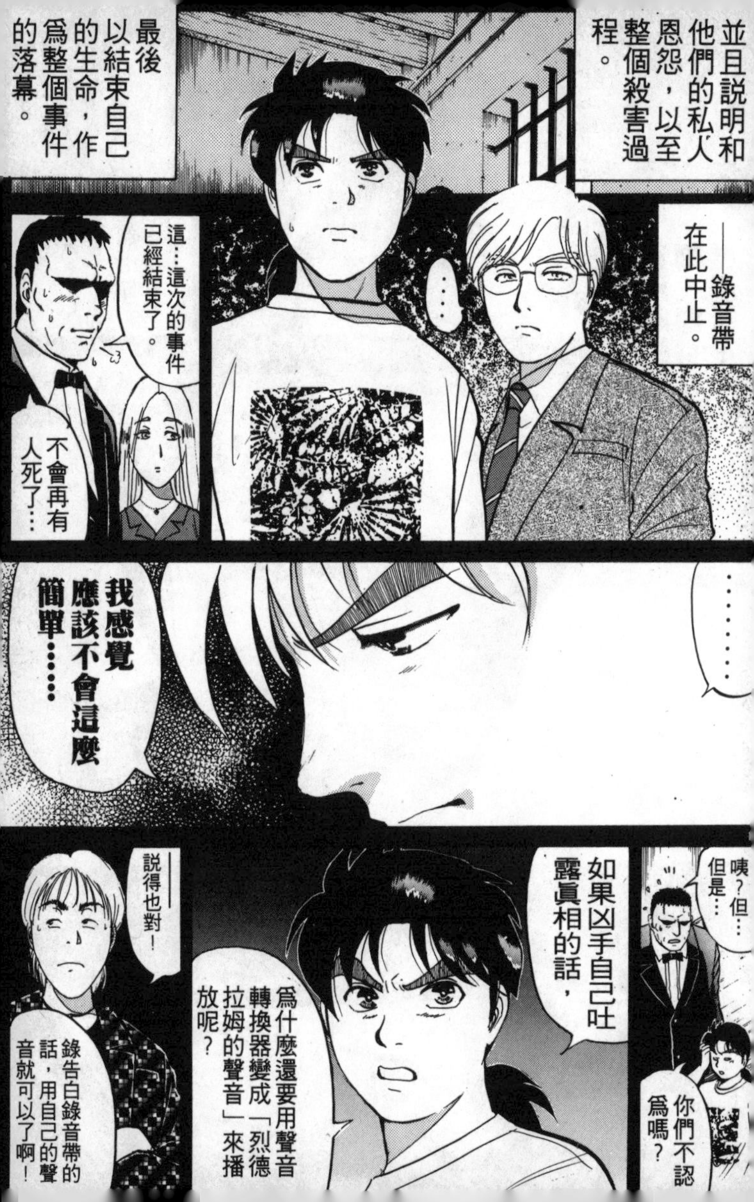
並且說明和他們的私人恩怨，以至整個殺害過程。
最後以結束自己的生命，作爲整個事件的落幕。
──錄音帶在此中止。
……
這…這次的事件已經結束了。
不會再有人死了…
………
我感覺應該不會這麼簡單……
咦？但…但是…
你們不認爲嗎？
如果凶手自己吐露眞相的話，
爲什麼還要用聲音轉換器變成「烈德拉姆的聲音」來播放呢？
──說得也對！
錄告白錄音帶的話，用自己的聲音就可以了啊！

這…這麼說來！
是的…兇手一定還在我們當中！
他也裝成一副驚惶的樣子，但內心卻暗自竊喜…
真正的懸疑推理劇，應當就是這種場面…
………
呀啊！

討厭…人家還以為暴風雨好不容易停了…
……
好像又在打雷了。
喂！阿一…烈德拉姆是誰呢…？
應該是西之塔裡的瑪麗亞或眞木目其中之一——
……
……
阿一…
你…你要去哪裡？
我忽然想起一件事情。
美雪，不要一個人到外面！
……
是我啊！我是金田一！開門啊！
我有事找你談！

怎麼啦？金田一。
我找到了！找到「秘密通道」了！
不必經過小暖爐房間就能到西之塔的⋯
秘密通道⋯⋯！
⋯⋯
哦⋯⋯？
你先看這玩意！
由這張平面圖看來，和你房間一樣的暖爐⋯⋯
在西之塔被殺的當麻女士房裡也有。
西之塔
真木目
坂東
理査
当麻
2F 走廊
大廳
之塔
明智
剣一
美雪
多岐川
暖炉
2F 走廊
大廳
樓梯
暖炉
玄関
大暖炉房間
但是從外面看的話，這裡只能看見一根煙囪⋯
這意味著什麼⋯你應該心知肚明吧？
原來如此⋯
這兩個暖爐共用一根煙囪⋯⋯換言之——

我的房間和當麻女士的房間可藉由煙囪相通。
──是這麼一回事嗎……
一點也沒錯…！
使用這根煙囪的話，從東之塔到西之塔就可以不必經由大小暖爐房間…
而兇手將理查的屍體搬到房間後，可以從容地自封閉的西之塔逃脫！
今天早上，你們在大暖爐房間看到我的人形頭被切斷，
隨後你們就趕到我的房間吧？
你是說，兇手從小暖爐房間裡面上鎖，
之後藉由煙囪脫逃到我這邊來嗎？
有此可能！
那麼坂東先生的人形又作何解釋？
啊…！當時所有人幾乎同時趕到這個房間。
我到達這裡不到3分鐘，所有人也都到齊了！
而且，當時並沒有一個人離開現場。

但是，有人趁那個時候…
把在大暖爐房間裡的坂東先生人形搬到他的房間…
…
但是，從大暖爐房間移動人形到西之塔坂東先生的房間——
西之塔
東之塔
真木目
坂東
理査
当麻
明智
阿一
美雪
多岐川
南山
暖炉
2F走廊
大廳
樓梯
玄関
大暖炉房間
小暖炉房間
1F
並且將人形「上吊」，這中間估計至少也要花上5～6分鐘。
如果所有人當時都一直在我房門前的話，
也就是說，沒有人有機會做這件事吧！
——但是，唯有一個人辦得到……
哦……！
那是誰呢？
就是你啊……！
明智警視！

只有你——
有可能將坂東的人形搬出！
……
——真有趣！
那也好……假設我是兇手的話——
我如何從大暖爐房間搬出人形呢？
——首先，你將坂東殺掉，
隨後在大暖爐房間切斷自己的人形頭部。
再來，你可能躲在現在是空房間，也就是當麻的房間裡——
開始播放「趕往大暖爐房間去吧！」烈德拉姆的聲音。
當你確認所有人都奔往你的房間後。
你從大暖爐房間搬出坂東的人形——

又在坂東的房間裡，將人形上吊，
最後再從當麻的房間，藉由煙囪回到這個房間。
從我們集合在這扇房門前開始，到撞破門爲止
共花費十分鐘的時間。
你事前將南山先生的備用鑰匙偷走，
也是爲了挪出搬運人形所需時間。
有10分鐘的話，讓你回到房間裡是綽綽有餘的！
……
原來如此！
的確如你所説的……
使用這暖爐煙囪的話，或許可能也説不定

但是，以這種説法就斷定我是兇手的話……
未免太欠缺説服力吧……
到底我有什麼動機進行這場犯罪行爲呢？
我和三名犧牲者在這裡可是第一次見面的喲？
對於初次見面的人，我幹嘛大手筆搭建舞台來殺人呢——……
……明智……！
你在説謊！
什麼？

理查這個人，你或多或少——
在以前就知道他吧！
……
你這話有什麼根據…
你事先就知道理查通曉日語的吧？
和理查在大暖爐房間談話時——
你是這麼說的吧！
最好不要一個人在外徘徊亂逛，
接下來就是趕快回到房間，也請不要忘了上鎖。

當時我就覺得很奇怪！
對於一個只懂幾句日語的人，怎麼會講出那麼難的詞彙！
更何況—像你這種腦筋轉得這麼快的人，應該想得到才對。
普通的話，只要說—「不要亂走動」、「鎖上門」就好了啊！
……
但是，如果本來就知道理查通曉日語的話……
這又另當別論了！
你為了要試探他是不是真的……
而故意用艱深的詞彙吧？

……到底是不是呢？
……
ガ
是你嗎？
……
明智…！

日本阿爾卑斯山裡，有一座移建自中世紀德意志城堡的「巴爾多城」，通稱「蠟人形城」—
金田一少年之事件簿
以這座城的所有權爲賭注所舉行的懸疑之夜比賽中，我和美雪以及明智警視被捲入一連串的命案。
當麻惠被殺害的手法和推理謎題中「被殺的」蠟人形一模一樣—
緊接著理查也同樣地被以蠟人形的「殺人預告」方式被殺害！
第3名犧牲者坂東，表面上看來是坦承罪行而自殺的，
但是推理的結果，這果然也是「殺人」事件。
究竟自稱爲「殺人者」的謎樣人物
「Mr.烈德拉姆」是何方人物…！
理查・安德森
坂東九三郎
瑪麗亞・菲蘇德美
愛德華・可倫坡
南山駿三
多岐川穗
眞木目仁
當麻惠

明智！到底怎麼樣啊？
難道這個「殺人劇」是——‥
……
蠟人形城殺人事件⑧

果然是明智你嗎？
咦？
哇！
どどどど!!
もわ〜
可倫坡先生！
是的〜你們好！
你…你在幹什麼？從那種地方…
你們的談話，我在暖爐裡都聽見了！
實際上，我和金田一的推理是一樣的…

我是來確定這根煙囪是否可以讓人通行。
……
我阿姨在美國大峽谷有一棟別墅，
她有一次打掃暖爐時，忘了將隔壁房間暖爐的蓋子關上……
結果把隔壁房間搞得面目全非。
因此讓我聯想到這次的事件……！
經過我的調查，果然沒錯─它雖然狹窄，但是還可以通行……
經由這裡的話，東、西之塔就可以直接往來！
容我失禮一下──！
啊~~果然！!!
煙囪裡面都是煤炭灰，
通過時，身上一定會另外套上什麼才對！
ズル…
竟然是化妝舞會時，Mr.理查所穿的**披風**，真是設想周到……！
！

…是嗎？我不記得我藏過這種東西啊！
待會兒再聽你解釋吧！
集合所有人到大廳後面，
我將把全部眞相公開！
公開Mr.烈德拉姆的眞面目！
……
啊〜〜〜哈!!
「明智警視是兇手的説法」聽起來眞有趣—
只可惜你猜錯了！
!?
什麼…？

照照鏡子看你的頭吧！
頭？
上面有蜘蛛網啊！
!?
如果剛才明智有通過狹窄煙囪的話，
現在你頭上不應該還會有蜘蛛網吧？
換言之，至少發生坂東命案時，這根煙囪並沒有被使用過。
……
這等於你用自己的行動來証明明智是清白的！
つつー
唔哇！
有蜘蛛！
ぱっ
噗！
呼……可倫坡，多虧有你。

託你的福，我不必被當成兇手了。
……
嘖！
——失陪了！
……
バタン
好險，你察覺到蜘蛛網因而讓我解困。
嘖！諷刺我！
你假裝沒發覺…
明明你自己也一眼就察覺到的……！
真是令人討厭的性格！
呵呵……真是一場有趣的餘興節目！

你是否也發現到？
可倫坡頭上的**蜘蛛網**……
ゴオオオ…
黏性還很強，以這根好幾年沒有使用痕跡的煙囪而言，實在是太新了。
你的意思是在命案發生前，就有人使用過這根煙囪嗎？
可能兇手在事前通過煙囪時，古老的蜘蛛網也跟著被帶走吧！
蜘蛛網容易發生在長時間沒人出入的地方，由於這種觀念作祟——
使得兇手沒有想到，曾經一度去除的蜘蛛網又會重新產生吧！
實際上，蜘蛛網只要一天的時間就會產生。
哦……
但是…這麼看來，新織成的蜘蛛網也不像是昨天或今天才產生的吧？
你看看這個！

剛才可倫坡所拍落的附著在蜘蛛網上的飛蛾！
以這種乾燥程度看來，至少也有2～3天了吧？
也就是說，「理查命案」當時，應該沒有人通過這根煙囪。
啊！的確是這樣！
發現理查屍體當時的西之塔「密室」之謎——
大廳
2F走廊
暖爐
樓梯
再度復活了……！
——這樣子就把兇手限定是在西之塔裡的人，的確是太草率了。
是啊！——能說的或許只是…
明智！
Mr.烈德拉姆想要嫁禍於你！
……

烈德拉姆把在東之塔裡唯一與西之塔可用煙囪往來的房間分配給你。
理查
当麻
暖炉
明智
阿一
他接著把第2名犧牲者「理查命案」的舞台—西之塔設計成密室。
再將第3名犧牲者坂東殺掉之後，藉由這根煙囪的發現……
設計只有你一個人沒有在場証明！
……
Mr.烈德拉姆這齣殺人劇的最後一頁
是計畫將明智你設計成兇手！
……
我們在外面猛敲門，你卻依然不醒，
可能是被下了安眠藥吧？
這件沾滿煤炭灰的披風也是兇手的把戲。

眞厲害……
咦？
我是指這次的「犯罪計畫」啊！
華麗的舞台和周全的準備——並且計算出我們每個人的下一步行動……
眞有如「藝術作品」——
沒錯…「藝術犯罪」！
……明智！
差不多可以告訴我了吧？
你之所以參加懸疑之夜的眞正理由！
被殺害的當麻、理查、坂東這三人…
你早就知道他們的事吧？
……

！
——那是距今20多年以前的事了。
當時發生一件日本犯罪史上史無前例的謎案，
有一名優秀的刑警鍥而不捨地追查。
因他的執著辦案，
終於列出跟事件有關係的人物名單。
但是，他只差一步還是無法掌握証據……
事件的時效到了——
那位刑警在抑鬱寡歡中渡過餘年……
……
——被殺害的當麻惠、理查·安德森、還有坂東九三郎——
這三人就是當時名單上的事件關係人。

你說什麼？
被殺害的3人過去與犯罪——？
那麼這次的命案和過去的事件——？
這一點還不清楚。
我所能說的就是這些。
什麼嘛！事情到這種地步了，你還隱瞞！
這當然囉！這是我的最高機密啊！
烈德拉姆企圖嫁禍我成爲兇手的計畫失敗，
說不定還會再耍出什麼花招來。
和你比高下的推理戰，現在才正式開始。
你還這麼在意這件事嗎？
你也眞是的…

要是再被兇手陷害的話，我可不管哦！
呵呵……我不可能重蹈覆轍的吧？
……
!?
……
くる…
嘖……！
コンコン
コンコン
來了…
ちら…
哪位……？
唔！
ドス。
どさ…
……

ゴオオオオ…
喂！起來吧！公主！
唔…
!?眞木目先生！多岐川女士！
這…這怎麼一回事啊？
難道你們就是兇手—？
別跟我裝蒜了！瑪麗亞·菲蘇德美！
別看我這樣子，我對中世紀德意志城堡也是頗有研究的！
!!

巴爾多城——我好像曾經在哪聽過這名字……
現在終於想起來了！
有關於伊麗莎白・菲蘇德美的事——！
400年前，這座巴爾多城的主人伊麗莎白・菲蘇德美是一位美女。
但是，那個女人爲了擁有永遠的美麗，將靈魂出賣給惡魔，
變成一個吸食人血的吸血鬼，殺害了上百名少女。
妳就是那個吸血女鬼的後代子孫吧？瑪麗亞・菲蘇德美！
妳遺傳妳的祖先，想把我們當成血祭吧！
不……不是的！我……
那麼，大廳裡的那幅畫又作何解釋？

那幅畫像和妳長得一模一樣啊！
那幅肖像的女人，不正是伊麗莎白．菲蘇德美嗎？
啊……那個是……
我也覺得不可思議。
最初只能說幾句簡單日語的妳，
現在卻能流利地講出日語…！
妳過去一直都待在日本吧？
妳喬裝成這座城的主人Mr.烈德拉姆，暗中準備這整個殺人計畫！
我沒做過那種事！
妳想裝蒜到什麼時候啊！
既然這樣的話，就用這裡現有的「道具」…
讓我們聽聽妳的真心話吧？
!!
!?
ギギギギ…。。

ドン
呀啊！
快點招出來吧……
ギギギ。
漂亮的肌膚會變成千穿百孔哦？
ギギギ…
不要啊啊啊啊！
你們在做什麼啊？
ギク
你們二位在這裡做什麼——
はっ
瑪麗亞小姐？
……
你…你們居然做這種事！
どん
哇！

剛剛的叫聲是……
你們在搞什麼啊？
我們在玩啊！不是當眞的嘛！
……
唔哇！瑪麗亞小姐？
怎麼了？
怎、怎麼會這樣呢？我什麼都……
等一下！這血是……
這可能是Mr.理查的血……
血……！
可倫坡先生！
他的屍體有無數針孔刺過的痕跡吧？
他一定是被這個拷問工具——「鐵處女」所殺害。

這裡就是殺害現場。
什麼…？
理查被這種恐怖的工具所殺害嗎……
咦？──!!
那個人…
今天沒有……
眞可怕…中世紀的拷問工具居然還能殺人…
兇手在拷問室殺了理查，
會不會因爲當麻的屍體在房間…所以爲了要一貫性才這麼做的？
…
爲什麼呢…？
咦？
爲什麼還要特地把屍體搬去他的房間呢…？
但是搬運當中，不怕被人發現嗎？

甘心冒這種危險，移動屍體到房間裡去，
這其中一定有很特別的理由！
南山先生！怎麼了？
啊！沒什麼…
通風扇好像壞掉了……
通風扇？
看來是這玩意飛進通風口裡的樣子。
原來如此！怪不得今天一大早這裡就很熱。
好噁心…烏鴉嗎？
!?
你們看那裡！
咦？

在流淚？
蠟人形──
這……這是──……
到底怎麼一回事……？

金田一少年之事件簿
移建到日本阿爾卑斯山的中世紀德意志古城堡「巴爾多城」——通稱「蠟人形城」……
以這座城的所有權爲賭注所舉行的懸疑之夜比賽中，我和美雪以及明智警視被捲入一連串的殺人事件。
3名參賽者依照蠟人形的「殺人預告」——
一個接一個地慘遭到殺害——！
究竟自稱「殺人者」的神秘人物「Mr.烈德拉姆」是誰呢？
愛德華・可倫坡
瑪麗亞・菲蘇德美
坂東九三郎
理查・安德森
當麻惠
眞木目仁
多岐川穗
南山駿三
這…這是怎麼一回事啊…？

蠟人形
居然會哭…？
蠟人形城殺人事件⑨

バタ
怎麼了？
出了什麼事？
バタ
人形又「被殺了」嗎？
ガチャ
怎麼回事？
啊……你們看人形……！
!?
3
蠟人形在哭……？
這……這是……？
……
つか…
す
ア…
!?

什麼嘛……
害我嚇了一跳！
喂…喂！什麼嘛！那玩意……
不用擔心，這個是——
咦？
讓我想想看？
？
那麼坂東的人形……？
看漏了嗎？
不……！的確有——……
啊！
阿一！你上哪兒？
ダッ

ゴオオオオ…
果然……
喂！什麼叫「果然」？阿一……
剛才「哭泣的蠟人形」……
那是蠟人形眼白部分的蠟——
融化後所流下來的！

眼珠子的蠟融化掉？
!?
爲…爲什麼會有這種事…？
我的人形頭在大暖爐房間脱落時，
你們說那房間異常地熱嗎？
是啊…有如在洗三溫暖一般！
三溫暖的溫度通常是在100度左右。
100度？
那麼……該不會那個時候也…
—但是蠟的融點很低，頂多60～70度…
大概是通風扇故障，才使大暖爐房間的室溫…
上昇到足以讓蠟融化的溫度吧！

也因此唯獨沒有其他雜質的眼白部分融化掉，
所以看起來有如人形在流眼淚一般。
什麼嘛…！原來是這麼回事嗎…
呼
全是一堆帶來災難的人形！
——但是，你們看這個！
！
這具坂東的人形——
眼白部份的蠟沒有融化掉！
坂東人形被搬走，是利用我們集合在明智房門口時所發生的事。
大暖爐房間的暖爐，之後就立刻被關掉了——
這具人形被放置在三溫暖般房間的時間，和其他人形沒有什麼差別啊！
但是唯獨這具人形不流淚，你們不覺得奇怪嗎…？
這麼說來是很奇怪…？
7

這是怎麼回事啊？
只有這具人形是不同的材質所做成的嗎…？
不——搞不好是……
…嘖…！
人形的「眼淚」？不小心看漏了嗎…？
…算了！光憑這樣是不會發現什麼的！
還有更要緊的，就是必須取回「那玩意」…！
僅次於生命的「那玩意」——
無論如何都要……
ザワ
ザワ

已經第3天了……
只要到了明天，我們就可以回家了。
哪能這麼簡單就放棄！時間還多得很哩！
ガタッ
事件的眞相就此無法解開嗎……？
總之，在這裡整理一下事件的謎題吧！
出現在我們眼前的謎題一共有3個——
第1個謎題，爲什麼兇手在殺人前，先要「殺掉」人形讓我們看？
是啊……
「殺害人形」的行爲，很明顯地隱藏著兇手的意圖！
大概這些人形也是被用來當作「小道具」的吧！

贊成！
仔細看眞不是滋味
要不然也不會花費心思做這種玩意。
再來就是第2個謎題，發現理查屍體所在的——
西之塔的巨大密室。
我們聽到列德拉姆的聲音，趕赴西之塔時——
位於塔入口處的小暖爐房間，是從裡面上鎖的。
要去西之塔一定要經過小暖爐房間…
這座城裡，除了玄關以外，沒有其他窗戶可以出入。
兇手果然是西之塔裡的瑪麗亞或眞木目嗎？
這樣子就不算是「推理」了吧？美雪！
如果兇手自己將門上鎖，躲在「密室」裡的話，
這不就等於承認自己是兇手了嗎？
那麼兇手是東之塔裡的人想嫁禍給西之塔裡的人囉！
……
——現在下結論還言之過早。

兇手故意將自己置身在令人起疑的立場，
而反過來想要隱瞞我們，這也有可能啊！
嗯……被你這麼説——……
……總之，現在先來想想如何破解西之塔的密室謎題吧！
你們認爲以下如何？
兇手搬運理查的屍體後，將小暖爐房間上鎖……
之後躲在西之塔裡的某個地方，等我們到了之後，他才現身……
那是不可能的！
爲什麼？
小暖爐房間姑且不論，西之塔的樓梯以及走廊，
根本沒有地方可以讓人躲藏，不是嗎？

我曾經確認過唯一的空房間（當麻的房間）裡面有沒有人——
依我看來，這座城裡能夠藏人的地方——
カサ
只有小暖爐房間旁邊的儲藏室。
小暖炉房間
儲藏室
但是，這玩意卻在小暖爐房間的外面，也就是「密室」的外面，因此不用考慮！
討厭！人家已經搞不清楚什麼跟什麼了呀！
……
接下來第3個謎題——
當時我們看見明智人形的頭掉落時，大批人馬集合在明智的房門前。
ガン
坂東的人形什麼時候？如何被搬走的？
除了我和被殺的坂東以外，全員幾乎同時抵達，
一直到坂東的屍體被發現爲止，沒有一個人從現場消失。

——的確是這樣子吧？
沒錯！
但是在這期間，大暖爐房間裡的坂東人形忽然消失，
後來在西之塔坂東的房間裡，人形和屍體同時被發現。
好像是變魔法一樣！
對……烈德拉姆對我們施加魔法。
——眞的是魔法！雖然我不想稱讚犯罪者，
但這個「犯罪計畫」眞的有像舞台劇一般的巧妙演出。
是啊！「那傢伙」分明是向我們挑戰嘛！

由於運用巧妙詭計所得到的「不在場証明」，
他現在正沈醉於「完全犯罪」的城堡裡！
等著瞧吧……Mr.烈德拉姆！
你所築成的「不在場証明」城堡，我一定要把它推翻！
為了爺爺的名聲！
……
呵…！別白費心機了，名偵探小弟
不管你怎麼掙扎，還是無法破解這個詭計的！
可不可以不要說這種丟人的台詞呢？」
…喔唷，這是我的固定台詞啊！
……

是啊……這個詭計是……
曾經是犯罪天才的那個人所創作的「藝術」啊！
可惡〰〰！怎麼會這樣……
那時候，坂東人形的確是坐在這裡的呀——
唔〰〰
討厭！阿一褲子的屁股上！
啊！
咦？
咦？這是什麼……？
褲子沾到白色粉末！

啊……
我所坐的椅子上面有白色的粉末！
蠟人形的蠟粉嗎？
不是！
這是…
鹽……
鹽？為什麼椅子上會有鹽呢……
!?等一等，這裡的確是……
坂東人形坐過的位置……
原來如此…

所以只有坂東人形沒有流眼淚嗎…？
咦？
我知道了！人形「被殺」的原因、理查命案、和被搬運的坂東人形之謎—
還有——Mr.烈德拉姆的眞面目！
那…那麼，阿一……！
是的…！
謎底——
全部解開了！

咦？
眞的是那個人…？
是的！沒有錯！
所有的情況——
指出「那傢伙」就是兇手！
…那麼，那件事也有關係囉？
那件事？
嗯…事情是這樣的——
那是眞的嗎？美雪！
嗯……是的！
那個人竟然會那樣，我也感到有點意外，
因此我常常不經意地看……
剛才在拷問室裡，我發現那玩意不見了…
該不會是——…
如果是真的的話…

チ
チ
チ
カチャ
キイイ…
……
パタン…
太好了……沒有人在。
コツ
コツ
コツ
コツ
コツ
這樣子就沒有人會進來了。
カチャリ
コツ…
……

ザッ
ザッ
…不…不見了……！
ザッ
明明是在這裡的啊！
你再怎麼找也是白費力氣！
ギク
你正要找的東西在這裡啊！
金……金田一……！

我就知道有人會來拿這玩意，
所以我一直在這裡等！
……
不可能的事…這間房間沒有可以藏身的空間！
我確認過這裡沒人才上鎖的…！
!!
還不明白嗎？
我和你使用同樣的詭計
所以才能隱藏在這房間裡的呀
!!
!!
ガッ
沒有用的！所有的人都在房間外面等著！
……
你已經無路可逃了！

〔第17卷待續〕

〈掲載 週刊少年マガジン1995年第28号から第36·37合併号まで〉

《金田一少年大解謎》

有獎遊戲

繼上期的「數字解謎」之後，答中的讀者非常之多，得獎的當然開心啦，未有得獎的今期就要加一把勁了。今期遊戲的難度略高，玩法卻簡單得多了。

玩法： 只要寫出《金田一少年之事件簿》漫畫版1－16期內，不動高校之員工、老師和學生的名字。（是生是死也計算在內）

提示： 除了參考有關以不動高校爲舞台的故事內容外，其他故事也應注意。

爲免破壞書本，大家可以把答案寫在一張白紙上，聯同您的姓名、地址及電話，記住貼上頁角的參加印花，寄到東立出版社即可。

注意： 每個正確的名字一分。 寫錯人名及筆劃不計分數。

獎品： 分數最高的一百位讀者，各得價值五百元的東立漫畫禮物袋乙份。

金田一遊戲印花

截止日期：8月31日

公佈日期：9月14日三十八期新少年

1996年8月13日 第1刷
中文版獨家代理銷售地區/香港·澳門

金田一少年之事件簿

原名：金田一少年の事件簿

第16集 作者：金成陽三郎·佐藤文也 譯者：林俊宏

出版：東立出版社（香港）有限公司
地址：香港北角渣華道321號柯達大廈第二期1901室
書報攤經銷：吳興記書報社 TEL：2759 3808
漫畫店經銷：一代匯集 TEL：2782 0526
承印：美雅印刷製本有限公司
地址：九龍觀塘榮業街6號海濱工業大廈4樓A座

定價：HK$28